Direction littéraire : Mylène Des Cheneaux
Coordination éditoriale : Ariane Caron-Lacoste
Révision linguistique : Sylvie Gourde
Correction d'épreuves : François Bouchard
Direction artistique : Johanna Reynaud
Conception de la couverture : Nathalie Samson
Photo de la couverture : Maxime Deland / Agence QMI

Catalogage avant publication de Bibliothèque et Archives nationales du Québec
et Bibliothèque et Archives Canada
Fortin, Jean-Louis, 1986-, auteur
    Gilles Vaillancourt : le monarque / Jean-Louis Fortin, Sarah-Maude Lefebvre.
    ISBN 978-2-89761-068-5
    1. Vaillancourt, Gilles, 1941-. 2. Corruption - Québec (Province) - Laval. 3. Maires
- Québec (Province) - Laval - Biographies. I. Lefebvre, Sarah-Maude, 1985-, auteur.
II. Titre. III. Titre : Monarque.
FC2949.L397Z49 2018   971.4'271092   C2018-941897-4

Les éditions du Journal
Groupe Ville-Marie Littérature inc.*
Une société de Québecor Média
1055, boulevard René-Lévesque Est
Bureau 300
Montréal (Québec) H2L 4S5
Tél. : 514 523-7993
Téléc. : 514 282-7530
Courriel : info@leseditionsdujournal.com
Vice-président à l'édition : Martin Balthazar

Distributeur
Les Messageries ADP inc.*
2315, rue de la Province
Longueuil (Québec) J4G 1G4
Tél. : 450 640-1234
Téléc. : 450 674-6237
* filiale du Groupe Sogides inc.,
filiale de Québecor Média inc.

Les éditions du Journal bénéficient du soutien de la Société de développement
des entreprises culturelles du Québec (SODEC) pour son programme d'édition.
Gouvernement du Québec — Programme de crédit d'impôt
pour l'édition de livres — Gestion SODEC.

Dépôt légal : 4e trimestre 2018

GILLES VAILLANCOURT
LE MONARQUE

Jean-Louis Fortin · Sarah-Maude Lefebvre
avec la collaboration d'Andrea Valeria

GILLES VAILLANCOURT
LE MONARQUE

LES ÉDITIONS
DU JOURNAL

SOMMAIRE

1re partie

3ᵉ partie

PRÉFACE

À titre de rédacteur en chef, j'avoue avoir eu des remords lorsque l'Unité permanente anticorruption a frappé son plus grand coup à ce jour avec l'arrestation et le plaidoyer de culpabilité de Gilles Vaillancourt et de sa bande. Comment nous, journalistes d'un journal pourtant très présents à Laval et sur la Rive-Nord, n'avions jamais réussi à déterrer ce scandale ?

Oui, cela faisait des années que nous entendions toutes sortes de rumeurs au sujet de pots-de-vin versés au Monarque de Laval, mais nous n'avions rien d'assez solide pour aller de l'avant. Personne ne parlait vraiment, sauf ceux qui avaient entendu dire que… Un journaliste ne va pas loin avec des ouï-dire.

Il y avait bien un bruit de fond. Mais aucune odeur de scandale.

Souvent, les premiers à nous mettre sur une piste sont les citoyens eux-mêmes. Ou les concurrents d'entrepreneurs favorisés. Quelquefois, mais rarement, des proches du stratagème. Dans le cas de Laval, rien.

Les citoyens ne semblaient se douter de rien eux non plus. Leur ville était propre, leurs parcs bien entretenus et, surtout, leurs taxes demeuraient à un niveau enviable par rapport à bien d'autres villes.

Ainsi, la magouille du Monarque a duré pendant un quart de siècle.

Cela nous apprendra à ne pas être assez vigilants. Nous avons depuis créé notre Bureau d'enquête et nous avons déterré de nombreux secrets bien gardés dans plusieurs villes.

Ce sont d'ailleurs deux des membres de notre équipe qui signent ce livre sur le Monarque. Ils ont mené de nombreuses entrevues et recherches dans l'entourage de Gilles Vaillancourt, où les langues se sont finalement déliées. Ils ont aussi lu des milliers de pages de documents. Leur travail apporte un éclairage complet sur ce qui est, pour le moment, le pire scandale municipal de l'histoire du Québec.

Dany Doucet
Rédacteur en chef, *Le Journal de Montréal*

NOTE DES AUTEURS

L'affaire Vaillancourt a tellement été médiatisée qu'on aurait pu penser qu'il serait facile de dresser un portrait complet de la vie et des crimes de l'ancien maire de Laval. Erreur. En plaidant coupable au terme de longues négociations en coulisses avec la Couronne, le roi de Laval s'est assuré que ses magouilles ne soient jamais étalées dans le cadre d'un procès public. Gilles Vaillancourt lui-même a refusé nos invitations à participer à la préparation de cet ouvrage et a donc choisi de garder ses secrets pour lui. Pour les percer, il a donc fallu, pendant plus d'un an, rencontrer des dizaines de personnes qui l'ont côtoyé de près ou de loin. Plusieurs ne nous ont parlé qu'en retour de la promesse de protéger leur identité, ce que nous avons fait. Nous avons consulté des documents judiciaires et policiers, dont certains inédits. De longues recherches dans les archives de la Ville de Laval et dans une panoplie d'articles journalistiques se sont également avérées nécessaires. Pendant des semaines, nous avons aussi assisté aux seuls procès qui ont eu lieu dans le cadre de cette vaste affaire, ceux de l'entrepreneur Tony Accurso. Ce qui nous a permis de mettre en lumière bien davantage que ce que l'ex-maire et son entourage auraient voulu voir étalé sur la place publique. Bonne lecture.

Jean-Louis Fortin,
Sarah-Maude Lefebvre
et Andrea Valeria

AVANT-PROPOS

L'Unité permanente anticorruption (UPAC) a marqué l'histoire du Québec avec l'arrestation et le plaidoyer de culpabilité de Gilles Vaillancourt et sa bande. Ce n'est pas tous les jours que l'on voit un ex-maire, autrefois si puissant, croupir en prison pour avoir volé des millions de dollars pendant son règne de près d'un quart de siècle.

Mais il ne faudrait pas que ce spectaculaire démantèlement à l'hôtel de ville de Laval reste le point d'orgue de l'histoire de l'escouade qui doit lutter contre la corruption au Québec. Depuis quelques années, l'UPAC cumule les déceptions et voit ses enquêtes traîner en longueurs.

À Montréal, on parle du « scandale » des compteurs d'eau depuis 10 ans. Cet immense contrat de 355 millions $, le plus important dans l'histoire de la Ville, a été annulé en 2009 après que le vérificateur général de la Ville y ait trouvé plusieurs irrégularités. Officiellement, l'enquête criminelle se poursuit toujours, mais jusqu'à maintenant personne n'a été amené devant les tribunaux pour s'expliquer.

Dans d'autres cas, de puissants politiciens se sont fait passer les menottes avant d'être blanchis des années plus tard, comme l'ex-président du comité exécutif de Montréal Frank Zampino. L'ancien bras droit de l'ex-maire Gérald Tremblay était soupçonné de corruption dans l'affaire du Faubourg Contrecœur, un projet résidentiel. Mais la preuve a finalement été démolie par le juge Yvan Poulin, de la Cour supérieure. « Un verdict [...] doit reposer sur des faits tangibles et concrets plutôt que sur des possibilités, des probabilités ou des impressions », a-t-il soutenu dans un jugement cinglant envers la police.

Encore plus troublant, à Saint-Constant, sur la Rive-Sud de Montréal, la Couronne a même dû retirer toutes ses accusations avant la tenue des procès. L'UPAC avait arrêté le maire et quelques hommes d'affaires qui étaient soupçonnés de malversations dans l'achat de terrains et la construction d'une bibliothèque municipale, mais certains témoins sont devenus en cours de route très peu crédibles après s'être contredits sur la place publique.

* * *

Pourquoi est-ce si difficile de punir les corrupteurs et les corrompus ? Et pourquoi la plupart des individus arrêtés sont-ils des fonctionnaires de second ordre ou des entrepreneurs inconnus, bref de très petits poissons ?

Certes, le travail de l'UPAC est tout sauf facile, puisqu'il est très rare qu'une entente de corruption laisse des traces tangibles comme un document écrit ou des photos. Contrairement à un cas de meurtre, il n'y a pas de corps, pas d'arme du crime. Les enquêtes sont donc complexes et longues.

L'organisation s'est aussi battue contre de brillants avocats de la défense alimentés par des suspects aux poches très profondes. Le richissime homme d'affaires Marc Bibeau, par exemple, visé par l'enquête Mâchurer sur le financement occulte au Parti libéral du Québec, n'a pas hésité à se rendre jusqu'en Cour suprême pour empêcher les enquêteurs d'utiliser du matériel saisi lors de perquisitions dans ses entreprises. C'était son droit le plus strict. Il a ultimement été débouté par le plus haut tribunal du pays qui a refusé d'entendre sa cause, mais les policiers ont dû attendre trois ans avant de pouvoir utiliser la preuve amassée, conséquence directe de la bataille judiciaire menée par Bibeau.

De plus, l'UPAC a dû lutter contre d'importants problèmes de relations de travail au sein de l'organisation. Des employés frustrés de certaines décisions du patron Robert Lafrenière et de sa garde rapprochée ont quitté le navire, non sans avoir fait beaucoup de vagues à l'interne. Deux rapports particulièrement troublants ont été produits sur le sujet.

Sans oublier qu'à partir d'avril 2017, l'escouade a mobilisé une partie de ses ressources pour enquêter sur des fuites journalistiques. Notre Bureau d'enquête venait de révéler dans les pages du *Journal de Montréal* que l'ex-premier ministre Jean Charest et son grand argentier Marc Bibeau avaient été traqués par ses enquêteurs dans le cadre de la fameuse enquête Mâchurer. Ce genre de « chasse aux sources » ne fait pas partie du mandat de l'UPAC.

* * *

La commission Charbonneau a démontré clairement que la corruption, la collusion et le financement politique illégal ont été monnaie courante pendant des décennies un peu partout au Québec.

On sait aussi que des témoins d'une grande valeur sont prêts à parler. Lors du procès de Tony Accurso à Laval, les ingénieurs Marc Gendron et Roger Desbois (les mêmes qui ont contribué à envoyer Gilles Vaillancourt en prison) ont révélé qu'ils s'étaient longuement assis avec les enquêteurs de l'UPAC pour parler des magouilles dans plusieurs villes de la couronne nord, dont Saint-Jérôme, Sainte-Thérèse, Blainville et Mirabel. Entre autres, la description par Marc Gendron d'un immense pot-de-vin de 500 000 $ à Saint-Jérôme fait frissonner d'effroi. À cela s'ajoutent de nombreux témoignages recueillis par l'Ordre des ingénieurs du Québec qui montrent du doigt un véritable cartel de firmes de génie qui contribuaient aux caisses électorales du côté de Longueuil et qui semble avoir sévi pendant plusieurs années. Dans chacune de ces situations, aucune arrestation n'a été effectuée.

Jusqu'à quel point l'UPAC a-t-elle enquêté sur tous ces cas ? A-t-elle manqué de ressources ? Est-ce qu'il y a eu de l'ingérence politique ? Impossible de le savoir, car la politique de l'organisation est de ne pas confirmer ou infirmer publiquement la tenue d'une enquête. Une situation qui suscite la grogne populaire.

Voilà pourquoi cet ouvrage est nécessaire. Il montre comment Gilles Vaillancourt a pu tisser sa toile en toute impunité et à ensorceler ceux qui devaient le surveiller. Et aussi, comment il s'est fait prendre. Jamais l'organisation criminelle de Gilles Vaillancourt n'aura été exposée avec autant de détails. Son histoire nous rappelle de ne jamais baisser la garde.

PREMIÈRE PARTIE

1

UN MÉNAGE COÛTEUX

Automne 2010. Maire de Laval depuis 1989, Gilles Vaillancourt
entreprend de démanteler le système de collusion et de corruption qu'il avait lui-même créé et dirigé, et qui lui a permis
de voler les Lavallois pendant des décennies.

Vaillancourt règne sans partage depuis plus de 20 ans sur
la troisième plus grande ville du Québec. Mais à l'extérieur des
frontières de l'île Jésus, celui qui est surnommé « maire à vie »
par les mauvaises langues ne fait plus l'unanimité. L'escouade
Marteau, un bras de la Sûreté du Québec (SQ) qui lutte contre
la corruption et se veut l'ancêtre de l'Unité permanente anticorruption (UPAC), opère depuis quelques mois. À la télévision et
dans les journaux, des allégations de pots-de-vin et de contrats
truqués se multiplient et touchent tant des élus municipaux
que provinciaux.

Pourtant, Gilles Vaillancourt est réélu confortablement un an
auparavant, encore une fois sans opposition valable. Il est alors
âgé de 69 ans et sait depuis longtemps que ce mandat, qui doit

s'achever en 2013, sera son dernier. Dès la campagne électorale de 2005, il parlait ouvertement de participer à deux autres élections (incluant celle de 2009) avant de tirer sa révérence. Pour le roi de Laval, la retraite s'annonce des plus agréables avec 7 millions $ qui dorment dans ses comptes bancaires en Suisse.

Vaillancourt n'a jamais été inquiété, car il a longtemps su profiter de complaisance et de laxisme généralisés pendant ses 40 ans comme élu. D'une part, des élus de son parti, le PRO des Lavallois, acceptaient béatement de servir de prête-noms chaque année, sans poser de questions. Même ceux qu'il a tenté de corrompre et qui disent avoir refusé des enveloppes, comme Serge Ménard, Vincent Auclair et Thomas Mulcair, sont restés muets pendant des années. D'autre part, les entrepreneurs et ingénieurs qui participaient au cartel n'avaient aucun intérêt à le dénoncer, puisqu'ils y ont tous trouvé leur compte en collectionnant les contrats publics à la hauteur de leurs capacités. Quant aux contribuables, ils ignoraient les magouilles qui se déroulaient derrière des portes closes de l'hôtel de ville, ne voyant que les taxes foncières peu onéreuses et les rues bien déneigées. C'est sans oublier les deux enquêtes policières avec bien peu de mordant qui n'ont jamais abouti, dans les années 1970 et au début 2000, ainsi qu'un rapport de vérification administrative tabletté.

Le dernier mandat de Gilles Vaillancourt sera pourtant celui de trop. Ses plus fidèles complices, des têtes grises comme la sienne, ont commencé à quitter le navire un à un depuis quelques années. D'abord, son grand ami Marc Gendron, qui collectait la ristourne de 2 % des entreprises gagnantes des contrats truqués, part à la retraite à la fin 2002. Il y a ensuite le départ de son bras droit Claude Asselin, qui, après avoir passé 17 ans comme directeur général de la Ville, va travailler au privé pour

Dessau, une des firmes collusives, en 2006. Au quotidien, à titre de plus haut fonctionnaire, Asselin pouvait s'adresser au maire, pour ensuite s'assurer que les bénéficiaires désignés des contrats truqués seraient les bons. Après son départ, celui-ci entre encore à l'hôtel de ville comme dans un moulin même s'il n'a plus l'autorité morale pour transmettre à ses subalternes la volonté du maire comme il le faisait depuis 1989. Puis, le directeur de l'ingénierie Claude Deguise, dont les méthodes ne faisaient pas l'unanimité chez ses collègues, quitte ses fonctions au début 2008. Deguise, l'intermédiaire entre l'hôtel de ville, les entrepreneurs et les firmes de génie, avait pourtant toute la confiance du maire. Il était un rouage précieux dans les crimes fomentés par le maire. Même l'ingénieur Roger Desbois, qui a pris la relève de Marc Gendron comme collecteur d'enveloppes, cesse ses livraisons d'argent au notaire Pierre Lambert, inquiet de se faire prendre. C'est Lambert qui gère alors la caisse occulte du PRO des Lavallois.

Depuis quelques mois, Vaillancourt doit donc avoir recours à des solutions de fortune pour continuer, tant bien que mal, à faire fonctionner « son » système criminel. Il demande au directeur général adjoint Jean Roberge de gérer la liste des gagnants des contrats, mais ce dernier n'est pas totalement acquis à la cause du maire. Une situation qui lui rappelle la fois où il avait demandé à l'ex-directeur général Gaétan Turbide de l'aider dans le partage des contrats en 2008, après le départ de Claude Deguise. Moralement mal à l'aise, Turbide s'était laissé convaincre de transmettre des listes de contrats truqués, mais le cœur n'y était pas. Il avait rapidement quitté la Ville avec un beau magot d'argent comptant.

Devant les caméras, le maire sait garder un visage impassible lorsqu'il est questionné sur les allégations de malversations, ce qui se produit de plus en plus souvent. Mais Gilles Vaillancourt est un homme intelligent et comprend que les mœurs ont changé. Loin de regretter ses crimes, il connaît cependant la loi. Vaillancourt sait que la manipulation des contrats publics, qu'il a ordonnée depuis son bureau pendant des années, pourrait lui valoir de sérieux ennuis.

Le navire prend l'eau, et le maire croit pouvoir le ramener au port en douce avant qu'il coule en haute mer. À l'automne 2010, Vaillancourt réembauche Gaétan Turbide, parti travailler au privé depuis plus de deux ans, et le nomme à nouveau directeur général avec un mandat sans équivoque. « C'était clair qu'en revenant à la Ville, et ça a fait l'objet de discussions avec monsieur le maire, ce système-là était terminé », se souviendra Turbide, dans le cadre de son témoignage à la fin 2017 lors du premier procès de Tony Accurso, l'entrepreneur ayant le plus bénéficié du cartel. « On s'est occupés de mettre fin à ce système. »

En remettant la maison en ordre, Gaétan Turbide et Jean Roberge constatent l'ampleur des dégâts. Jusqu'alors, un seul acteur, le maire, possédait toutes les pièces du puzzle de l'organisation criminelle. Chacun jouait son rôle sans poser trop de questions. Claude Asselin et Claude Deguise donnaient des contrats arrangés aux firmes, mais n'étaient pas directement impliqués dans le versement de la ristourne de 2 %. Marc Gendron et Roger Desbois collectaient cette ristourne, mais ignoraient comment le PRO s'y prenait pour blanchir les centaines de milliers de dollars du butin. Quant aux organisateurs politiques Jean Bertrand et Pierre Lambert, des amis du maire, ils n'étaient pas habitués avec les subtilités du trucage des contrats à l'hôtel de ville.

Dans ce contexte, l'enquête policière amorcée fin 2010, à la suite d'un reportage, avance à tâtons. Prudent, Vaillancourt avait eu la clairvoyance de ne laisser aucune trace écrite. Ses agendas, toujours en papier et jamais électroniques, sont détruits à la fin de chaque semaine. Il s'est aussi procuré des téléphones «jetables» et un brouilleur d'ondes.

Quelques ingénieurs et entrepreneurs qui se sont eux-mêmes enrichis grâce au cartel parlent à la police de ce qu'ils savent, mais sont incapables de dresser un portrait complet. Enfin, les retraités Marc Gendron et Roger Desbois acceptent de se mettre à table, non sans avoir d'abord essayé de minimiser l'ampleur de leur rôle. Ils racontent à la police avoir fait transiter plusieurs millions de dollars en billets verts, bruns et roses au fil des années. Ça ne fait alors plus de doute : l'argent comptant coulait à flots dans l'organisation criminelle du maire, dont les contours se dessinent peu à peu. Mais comment prouver que c'est bien Vaillancourt qui donne les ordres ? Turbide et Roberge le savent très bien, mais resteront silencieux jusqu'aux premières perquisitions à l'hôtel de ville de Laval, le 5 octobre 2012, et à la démission du maire dans les semaines suivantes.

Ils ne voulaient pas s'inculper, ayant eux-mêmes des choses à se reprocher. Leur premier contact avec les enquêteurs se fait sous un prétexte en apparence banal : ces derniers ont laissé derrière eux un de leurs ordinateurs portables lors de leur visite à l'hôtel de ville. Oubli calculé ou bien heureux hasard ? Jean Roberge, qui était en poste au moment des perquisitions, est le premier à prendre le téléphone et à appeler l'Unité permanente anticorruption (UPAC). Un peu avant Noël 2012, les deux hommes se sont laissé convaincre par la police de devenir des collaborateurs, sans doute encouragés par la démission de Vaillancourt. Turbide et Roberge ont tout vu ; leurs témoignages permettent d'établir clairement l'implication du roi de Laval.

En demandant à ses deux plus hauts fonctionnaires de fermer le système des contrats truqués, le Monarque s'est empêtré dans les filets de la police. Sans le savoir, Gilles Vaillancourt a fourni aux enquêteurs précisément ce qui leur manquait pour compléter leur dossier d'enquête : des témoins de l'intérieur de l'hôtel de ville prêts à aller devant la cour pour le désigner comme celui qui commandait les actes criminels.

Six mois plus tard, Vaillancourt se fera passer les menottes.

2

LA CHUTE

L'ombre d'un immeuble de 14 étages plane sur un paisible quartier résidentiel de Chomedey, en bordure de la rivière des Prairies. La tour de condos Parc Regency, située au 4500, chemin des Cageux, fait figure de géant face aux bungalows de l'autre côté de la rue. C'est ici que Gilles Vaillancourt envisage son avenir avant d'être embêté par la police. Lors du parachèvement de la tour, en 2010, il y réserve un appartement terrasse, qu'il obtient du promoteur à l'état brut, c'est-à-dire sans finition intérieure.

La cousine du maire, Ginette, ainsi que son mari, eux-mêmes propriétaires du penthouse adjacent, achètent l'unité pour le maire. L'entente stipule que Gilles Vaillancourt les remboursera lorsqu'il vendra la maison de 1 million $ en briques grises qu'il habite depuis 25 ans non loin de là, sur l'île Du Tremblay. L'appartement tout neuf qui attend le maire s'étend sur 3400 pieds carrés répartis sur les deux étages tout en haut de l'immeuble. Il comporte quatre espaces de stationnement.

Le Monarque de Laval voit l'avenir avec sérénité, lui qui vient d'être réélu à la fin 2009 pour un sixième mandat consécutif, avec l'appui de presque deux tiers des Lavallois qui ont voté. Il investit plus de 200 000 $ pour aménager sa future résidence. Les planchers sont recouverts de bois foncé, sauf ceux des salles de bains qui sont en céramique chauffante. Les comptoirs de l'immense cuisine sont faits de granit. Un ascenseur est même installé à l'intérieur des murs du condo, pour passer d'un niveau à l'autre sans avoir à emprunter quelques marches d'escalier.

Sauf que le maire n'y défera jamais ses boîtes. Deux ans plus tard, il devra refaire ses plans. La cause : un sac de souliers rempli d'argent comptant.

UN REPORTAGE QUI DÉCLENCHE L'ENQUÊTE POLICIÈRE

« Il y avait peut-être quelques billets roses, les billets de 1000 étaient roses. Mais il y avait beaucoup de billets bruns, des billets de 100 $. C'est là qu'il m'a dit, il y a 10 000 $. »

Serge Ménard n'oubliera jamais le moment où Gilles Vaillancourt lui a tendu une enveloppe blanche entrouverte pleine d'argent comptant, à la fin 1992. À l'époque, Ménard, un avocat criminaliste réputé et ex-bâtonnier du Québec, vient tout juste de faire le saut en politique et en est à sa première campagne électorale. Il tente alors de devenir député provincial dans la circonscription de Laval-des-Rapides, lors d'une élection partielle.

En entrevue pour la préparation de cet ouvrage, Serge Ménard raconte avoir lui-même sollicité la rencontre avec le maire de Laval. Leur échange est cordial. Vaillancourt a à peu près le même âge que son interlocuteur, mais c'est un politicien de carrière. Il est maire depuis quatre ans et cumule déjà près d'une vingtaine d'années d'expérience comme élu municipal à Laval. Le maire semble content de rencontrer l'aspirant député. Les deux hommes parlent du développement de Laval, de leur vision pour la ville. « C'est là qu'à un moment donné, il m'a demandé de passer à une autre table », se souvient Serge Ménard. « On est allés sur une petite table dans un coin qui semblait mener vers une autre pièce. Pis c'est là qu'il m'a sorti l'enveloppe. Il m'a dit : "Voici quelque chose pour toi", avec un beau grand sourire. » Vaillancourt a l'air si confortable de proposer une enveloppe d'argent comptant que ça semble un geste naturel. « Je pense que c'est raisonnable de penser que la façon dont il l'a fait avec moi, il a dû le faire avec d'autres », estime Serge Ménard, 25 ans plus tard.

D'un geste de la main, Ménard repousse l'enveloppe entrouverte, dans laquelle il distingue clairement l'argent comptant. Homme de loi, candidat de prestige déjà pressenti pour devenir ministre si le Parti québécois accède au pouvoir lors de la prochaine élection générale, il sait qu'accepter un don occulte pour sa caisse électorale pourrait le placer sérieusement dans l'embarras. De toute façon, il n'est pas venu en politique pour faire de l'argent. « Je gagnais 200 000 $ par année à l'époque, dans ma pratique [d'avocat]. J'étais prêt à m'en aller comme député, et même comme ministre j'allais gagner moins que comme avocat. Je n'étais pas pour collecter un 10 000 $ par-ci par-là. Je suis pas un saint au contraire, je suis ambitieux, mais j'aimais mieux avoir [une carrière] publique ou beaucoup de gens qui m'apprécient bien, que de devenir riche. »

Gilles Vaillancourt semble surpris du refus. « C'est là que [Vaillancourt] a changé de couleur, il est devenu rouge et il s'est mis à transpirer abondamment, se souvient Serge Ménard. Il était surpris et je pense qu'il était très conscient qu'il venait de faire une bêtise. »

Si Ménard a la bonne idée de refuser le pot-de-vin qu'on lui tend, il ne va pas jusqu'à dénoncer publiquement le premier magistrat de Laval ni même à appeler la police ou le Directeur général des élections pour faire une plainte. Devenu député provincial puis ministre de la Sécurité publique pendant près d'une décennie, il préférera taire cet épisode et entretenir des relations diplomatiques en apparence cordiales avec Vaillancourt. À cette époque, dans l'administration lavalloise, l'omerta vaut même pour les innocents.

À l'hôtel de ville, l'offre refusée de Gilles Vaillancourt s'est rendue aux oreilles de quelques conseillers du maire. Mais ce n'est qu'une vingtaine d'années après les faits que cet épisode deviendra public. Le journaliste de Radio-Canada Christian Latreille, informé de l'histoire, confronte Ménard qui finit par tout avouer devant la caméra.

Le reportage présenté le 15 novembre 2010 a l'effet d'une bombe. « Je voyais des billets roses. J'ai l'impression qu'il y avait des billets de 1000 », dit-il sur les ondes de la société d'État. Le lendemain de la diffusion du reportage, à l'Assemblée nationale, le député libéral de Vimont, Vincent Auclair, reconnait lui aussi s'être fait offrir une enveloppe par le maire en 2002. Il ment toutefois en affirmant l'avoir refusée. Il admettra finalement aux policiers, en 2012, avoir bel et bien accepté ce cadeau empoisonné.

C'est la tempête à l'hôtel de ville de Laval à la suite du reportage de Radio-Canada. Questionné par son entourage en privé, Gilles Vaillancourt nie tout. Il organise un point de presse le 16 novembre en après-midi. Mitraillé par les photographes dans son veston à carreaux, le maire est dans le déni. Le visage impassible, il envoie promener les critiques du revers de la main, avec le ton princier d'un dirigeant qui n'a jamais été inquiété. « Je vais être très clair, je n'ai pas offert d'argent à monsieur Ménard, ni à monsieur Auclair, ni à aucun autre candidat prenant part à une élection provinciale ou fédérale », a-t-il l'audace de déclarer. « Des enveloppes blanches il y en a tout le temps dans mon bureau. C'est avec ça que j'expédie mon courrier », ironise le souverain lavallois, qui se pose en victime.

« Quant à moi, ils inventent des choses […] N'importe qui occupant une fonction publique ces temps-ci, n'importe qui ayant du pouvoir est sujet à la critique. Peut-être qu'ils ont un agenda personnel, je ne sais pas », lance-t-il. Gilles Vaillancourt expédie une mise en demeure aux deux hommes, les sommant de retirer leurs affirmations. Il laisse même entendre publiquement qu'il les poursuivra en diffamation, une menace qui ne se réalisera évidemment pas.

Pour Gilles Vaillancourt, le prix politique immédiat paraît bien mince : le 24 novembre, la vice-première ministre Nathalie Normandeau (qui sera elle-même arrêtée en 2016 et accusée de corruption) le suspend sans solde de son siège au conseil d'administration d'Hydro-Québec. C'est tout. Même les maires de l'Union des municipalités du Québec (UMQ) n'ont pas le courage de le déloger de son poste au comité de direction du plus important regroupement de villes de la province. En février 2011, Peter Trent, le maire de Westmount, lance bien une fronde au nom des 15 villes défusionnées de l'île de Montréal. Il demande que Vaillancourt se retire, au moins le temps que soient connues les conclusions des vérifications policières et ministérielles au sujet du maire. Régis Labeaume, le maire de Québec, va plus loin en novembre 2010 et retire carrément sa ville de l'Union des municipalités. Il le fait officiellement à cause de ses doutes sur l'intégrité de certains maires, sans toutefois nommer expressément Gilles Vaillancourt.

Mais rien n'y fait. Pire encore, Gilles Vaillancourt est même reconduit sur le comité de direction de l'UMQ en mai 2011, lors du congrès annuel de l'organisation. « S'il fallait démissionner à la moindre allégation, on pourrait fragiliser tout notre système démocratique », justifie mollement Éric Forest, le maire de Rimouski et président de l'UMQ, dans une entrevue à *La Presse*. Il faut dire que cette année-là, la grande messe annuelle de l'UMQ suinte le mauvais goût. L'événement se tient officiellement sur le thème de l'éthique, mais les firmes Dessau et Dunton Rainville font partie des commanditaires. La première, spécialisée dans le génie-conseil, est au centre de multiples allégations de financement politique illégal, et son vice-président Rosaire Sauriol sera arrêté deux ans plus tard en compagnie du maire de Laval. La seconde est connue comme LA firme d'avocats privilégiée par les contrats publics à Laval, et son associé Pierre Lambert se fera aussi éventuellement passer les menottes en compagnie du maire. Comble de l'ironie, l'UMQ qualifie ce congrès de « franc succès sur tous les plans ».

À travers cette atmosphère complaisante où la plupart de ses collègues cravatés l'appuient encore, du moins publiquement, Gilles Vaillancourt garde les deux mains dans le système de contrats arrangés de sa ville. Il ignore alors à quel point la police se penche sérieusement sur son cas.

LE MAIRE DANS LA MIRE DE L'UPAC

Scruté périodiquement par la police depuis les années 1970, toujours sans succès, Gilles Vaillancourt n'avait jamais eu de raison de s'inquiéter. Manque de ressources, enquêtes bâclées, ingérence ou lâcheté politique ont contribué à maintenir un criminel à la tête de la troisième plus grande ville du Québec.

Le premier clou dans le cercueil de sa carrière politique sera planté par une équipe d'enquêteurs au sein d'un groupe judicieusement nommé : l'escouade Marteau. Lancé en octobre 2009 comme une division de la Sûreté du Québec, ce groupe d'une soixantaine de personnes est d'abord la réponse du gouvernement Charest aux multiples allégations de collusion et de corruption dans l'industrie de la construction et l'octroi de contrats publics. Nous sommes avant la commission Charbonneau. À l'époque, les trois quarts des Québécois veulent alors une commission d'enquête publique, révèle un sondage Léger publié dans *Le Journal de Montréal*. Malmené par l'opinion publique, le premier ministre Jean Charest martèle que seule une escouade de policiers, qui effectue ses enquêtes loin des projecteurs, pourra vraiment arrêter les coupables. La commission viendra non pas passer les menottes, mais bien montrer aux Québécois comment ils se sont fait voler.

Les débuts de l'escouade Marteau sont modestes. Dans ses premiers mois, elle mène quelques perquisitions à Boisbriand et chez la firme de génie-conseil Roche, dans un dossier qui n'a rien à voir avec celui de Laval. Ces opérations mèneront plus tard à l'arrestation de l'entrepreneur Lino Zambito, de l'ex-mairesse de Boisbriand Sylvie Saint-Jean, et de la vice-présidente de Roche, France Michaud.

Ce n'est que le 16 novembre 2010, au lendemain du reportage de Radio-Canada sur les enveloppes à Laval, que deux policières de la SQ rencontrent Serge Ménard pour obtenir son témoignage. Au même moment, deux autres enquêteurs vont recueillir une déclaration de Vincent Auclair. C'est la naissance du projet Honorer. « Par la suite, l'enquête a été orientée vers un système de redevances de 2 % par les entrepreneurs », écrit en 2012 le sergent-détective Martin Chênevert dans un affidavit qui lui a permis d'obtenir un mandat de perquisition dans les bureaux du PRO des Lavallois, le parti du maire. L'escouade Marteau sera intégrée à l'Unité permanente anticorruption (UPAC) lors de sa création en 2011, et en deviendra le bras armé.

Les débuts de l'enquête à Laval sont laborieux. On dépoussière les vestiges de l'enquête Bitume, avortée en 2004, qui avait été menée par la SQ en collaboration avec le Bureau de la concurrence du Canada. Une poignée de témoins, d'abord un ingénieur puis un entrepreneur, parlent à la police. C'est la première fois que l'escouade Marteau entend parler du fameux 2 %. Les enquêteurs remontent d'abord la piste de Claude Deguise, celui qui contactait les soumissionnaires gagnants des contrats arrangés. Rencontré par la police le 18 mai 2011, Deguise ment et nie être au courant d'un système de collusion à Laval. Il affirme que les contrats sont tous octroyés selon les règles de l'art.

Les enquêteurs rappliquent quelques jours plus tard et offrent à Deguise de collaborer avec eux pour attraper Vaillancourt. En échange, il pourrait échapper à des accusations. L'ex-directeur de l'ingénierie n'obtempère pas et fait sentir aux policiers que leur présence le dérange. Il croupira en prison quelques années plus tard.

D'autres cibles de l'enquête sont plus collaboratives.

Le 14 mars 2012, en fin de journée, l'ingénieur retraité Roger Desbois rentre chez lui quand le portier de son immeuble l'informe que deux policiers ont tenté de le rencontrer alors qu'il était absent.

Desbois n'a pas besoin d'autre explication. Son ancien patron Marc Gendron vient de l'appeler pour lui dire qu'il a lui aussi reçu la visite d'enquêteurs.

Le lendemain matin, sans surprise, la sonnerie retentit encore au condo de l'ingénieur. Les enquêteurs de l'UPAC Martin Chênevert et Mario Lauzon veulent rencontrer Desbois, qui leur ouvre la porte.

« Ils voulaient discuter. Ils m'ont parlé qu'ils savaient déjà que j'avais un rôle de collecteur. Ils m'ont dit : monsieur Desbois, ce n'est pas vous qu'on vise. Nous, on vise monsieur Vaillancourt », se souviendra-t-il lors de son témoignage au premier procès de Tony Accurso. Le septuagénaire ne collabore pas immédiatement.

Ce n'est que quelques semaines plus tard, le 29 juin, qu'il déballe une partie de son sac lors d'une autre rencontre avec des enquêteurs. Desbois leur décrit les grandes lignes du stratagème criminel dirigé depuis l'hôtel de ville.

Le 3 juillet, il conduit les policiers à son cellier, où se trouvaient encore près de 75 000 $ en billets. Trois jours plus tard, suivant les conseils de son avocate, il révèle aussi aux enquêteurs l'existence des 300 000 $ dans son coffret de sûreté à la Banque Nationale, perçus grâce aux faux extras.

Roger Desbois redonnera en tout 406 200 $ à la police. Il s'assoit près d'une trentaine de fois avec les enquêteurs, au cours des années suivantes. Sa collaboration lui vaudra l'immunité contre des poursuites criminelles, mais il sera appelé à témoigner à la commission Charbonneau l'année suivante, ainsi qu'aux procès de Tony Accurso en 2017 et 2018.

Marc Gendron fournit aussi beaucoup d'information à la police. Même s'il a alors plus de 80 ans, son témoignage est crucial pour aider les policiers à comprendre le vaste stratagème de collusion et de corruption dirigé depuis l'hôtel de ville. Gendron n'admettra jamais s'être mis de l'argent dans les poches, à l'exception de 5000 $ remis personnellement par un entrepreneur, que Gilles Vaillancourt lui avait donné la permission de garder.

Plus tard, il se souviendra aussi avoir tiré quelques milliers de dollars de la vente du bateau qu'il a possédé avec Gilles Vaillancourt, et dont la part du maire avait été payée à même la caisse occulte des entrepreneurs. Il sera par contre forcé d'avouer aux enquêteurs plusieurs pratiques malhonnêtes qu'il a déployées au fil des années pour permettre à Tecsult de se procurer de l'argent comptant.

LA PANIQUE S'INSTALLE

Au début octobre 2012, à la commission Charbonneau, l'entrepreneur Lino Zambito a commencé à faire ses premières révélations sur la magouille qui a eu lieu de l'autre côté de la rivière, au sein du parti Union Montréal de l'ex-maire Gérald Tremblay. Quelques jours plus tard, il s'attardera au cas de Laval où il révélera l'existence d'une ristourne en billets sonnants destinée au maire Vaillancourt.

Pendant ce temps, loin des caméras, l'enquête de l'UPAC sur le réseau criminel qui sévit à l'hôtel de ville de Laval va bon train. Les policiers s'apprêtent à faire des perquisitions très médiatisées. Le maire est pris en filature, au volant de son véhicule, par des policiers qui planifient les perquisitions chez lui. Sentant la soupe chaude, Francine Vaillancourt emballe des liasses d'argent liquide dans un sac de souliers, qu'elle va porter chez sa bonne amie Ginette au Parc Regency. Les deux femmes se font confiance ; après tout, elles seront bientôt voisines. La cousine du maire ne se doute de rien et ne demande même pas le contenu de cette livraison spéciale. Elle place le sac, sans l'ouvrir, dans une pièce de son condo, plutôt que d'aller le porter dans un casier de rangement au sous-sol de l'immeuble comme le lui avait demandé l'épouse de Gilles Vaillancourt.

Le 4 octobre en fin de journée, les policiers mènent des perquisitions à l'hôtel de ville de Laval. Ils s'intéressent particulièrement au service de l'ingénierie, et à l'endroit où se trouvent les serveurs informatiques. Au même moment, une autre équipe se présente, munie d'un mandat de perquisition, à la maison du maire.

Le lendemain, l'UPAC récidive et débarque cette fois au Parc Regency. Ils ont comme mission de visiter le condo vide qui attend Gilles Vaillancourt et sa conjointe, ainsi que les casiers de rangement du sous-sol. Le soir même, prise de panique, Ginette Vaillancourt ouvre le sac qu'elle gardait chez elle et y découvre les liasses d'argent. Affolée, elle entreprend de les faire disparaître dans la toilette. Mauvaise idée. Les billets de 20 $ et de 100 $ sont faits de polymère et flottent dans la cuvette au lieu de se désagréger. Le déclic se produit. Mme Vaillancourt appelle la police. « Elle n'avait pas à aider qui que ce soit, elle n'avait surtout rien à se reprocher et elle a décidé d'appeler la police », raconte au *Journal de Montréal* un proche au courant de la scène.

Ginette Vaillancourt a l'impression de vivre un cauchemar. Elle n'a pas l'intention de sombrer avec le navire du maire de Laval. L'amitié avec Francine Vaillancourt est rompue. Désormais, les communications se feront par la voie des avocats. Finie, l'entente qui aurait permis à Gilles et Francine Vaillancourt de devenir ses voisins. Quelques mois plus tard, en mars 2013, elle mettra sur le marché le condo qu'elle avait acheté et qui était destiné au maire, demandant plus de 1,3 million $.

Le souverain lavallois devra trouver un autre endroit pour déménager ses pénates. Surtout qu'il vient de vendre sa maison au croissant des Îles. C'est un médecin montréalais qui s'en porte acquéreur. Gilles Vaillancourt achète alors un condo d'un million de dollars non loin de là, au 9e étage de l'immeuble Le Versailles, sur l'île Paton. L'appartement de plus de 2000 pieds carrés offre une vue magnifique sur la rivière des Prairies. Ce n'est pas aussi vaste et moderne qu'au Parc Regency, mais de toute façon, les nuages sont plus sombres au-dessus de la tête du maire de Laval, qui s'apprête à démissionner sous la pression des perquisitions. C'est dans cette nouvelle résidence qu'il se fera cueillir par l'UPAC, quelques mois plus tard, au matin du 9 mai 2013.

Entre-temps, l'histoire du Parc Regency se précise. En avril 2013, le quotidien *La Presse* surnommera ce bâtiment « Tour Vaillancourt » et avance que l'immeuble a été construit illégalement grâce à des manœuvres douteuses de l'administration Vaillancourt pour modifier le zonage. L'enquête journalistique cite des avocats spécialisés dans les dossiers de zonage, qui concluent que des lois provinciales ont été contournées par le maire et des membres de sa garde rapprochée.

LA DÉMISSION DU MAIRE

Gilles Vaillancourt est entré discrètement en politique comme simple échevin de Laval-des-Rapides en 1973. Près de 40 ans plus tard, au cœur de la tempête, il tente de déguerpir avec la même discrétion. Partir en douce s'annonce difficile. Le maire fait régulièrement les manchettes pour les mauvaises raisons, surtout depuis les perquisitions de l'UPAC au début octobre. Plus personne ne pense alors qu'il pourra rester en poste sereinement jusqu'à l'élection prévue l'année suivante.

Pourtant, Gilles Vaillancourt jure maladroitement qu'il ne démissionnera pas, à l'occasion d'une brève déclaration qui suit les perquisitions, sans répondre aux questions des journalistes. L'enquête criminelle qui le vise ? « Des rumeurs », selon lui. Même le 15 octobre 2012, lorsque Lino Zambito révèle en direct à la commission Charbonneau l'existence d'une ristourne « de 2,5 % » payable au maire de Laval via un intermédiaire, Vaillancourt se contente de mandater sa porte-parole Johanne Bournival pour tout nier et assurer qu'il n'a jamais pris un sou d'un entrepreneur.

Mais le 24 octobre, la pression est trop forte. Au cours de la matinée, l'UPAC a perquisitionné une dizaine de coffrets de sûreté dans quatre succursales d'institutions financières. La police flaire l'odeur de l'argent entreposé par les collaborateurs du maire.

Au même moment, à l'hôtel de ville, Vaillancourt sait qu'il préside sa dernière séance du comité exécutif en carrière. Mais pas question d'organiser une conférence de presse à grand déploiement pour annoncer son départ. Vaillancourt envoie plutôt au bâton Basile Angelopoulos, son bras droit au comité exécutif, afin d'annoncer à sa place qu'il se retire temporairement « pour effectuer une réflexion ». Un communiqué de presse laconique précise ensuite que le maire prend congé d'après les recommandations de son médecin. La tentative de diversion est ratée. Le lendemain matin, le visage de Vaillancourt se retrouve en une de tous les grands quotidiens de la province.

Un peu plus de deux semaines après, s'adressant publiquement au micro devant les journalistes dans la salle du conseil municipal, Gilles Vaillancourt démissionne pour de bon. Là encore, sans répondre aux questions. Le Monarque tente surtout de souligner à quel point il a œuvré au développement de l'île Jésus durant quatre décennies. « Nous faisons face à des allégations qui, sans être prouvées, altèrent de façon irrémédiable la réputation des gens en qui vous aviez placé votre confiance. Je suis une de ces personnes, et je suis profondément blessé », affirme-t-il. « Je n'avais qu'une seule passion, celle de réussir Laval », lance Vaillancourt en guise de conclusion. Il ne sait pas encore, à ce moment-là, que sa passion le conduira en prison.

Si Gilles Vaillancourt est devenu millionnaire grâce à l'argent comptant, c'est sous forme de chèque qu'il reçoit son ultime cadeau des Lavallois, quelques semaines plus tard. Une cagnotte de 247 000 $ tirés des fonds publics, en guise d'allocations de départ et de transition.

La retraite ne sera pas de tout repos.

LE COUP DE FILET

L'UPAC a perquisitionné chez le maire, dans les bureaux de son parti politique et à l'hôtel de ville. Elle a saisi des documents, fait des copies de serveurs informatiques. Elle a visité des entrepreneurs et des firmes de génie-conseil. Il faut parfaire la preuve. On ne fait pas tomber un géant de la politique comme Gilles Vaillancourt avec des ouï-dire. De plus en plus de témoins se mettent à table. Les enquêteurs bénéficient d'un gros coup de main de la part de Gaétan Turbide, directeur général de la Ville. Il leur ouvre les portes de l'hôtel de ville en pleine nuit pour leur permettre de récupérer des micros qu'ils y avaient caché en octobre.

À l'hiver 2013, les enquêteurs travaillent d'arrache-pied au plus gros projet de l'histoire de l'organisation. On songe passer les menottes à plus de 40 personnes. Des accusations seront autorisées contre 37 individus, au final, par le Directeur des poursuites criminelles et pénales (DPCP).

Le temps est gris et humide au matin du jeudi 9 mai 2013. Le mercure est doux, et 120 policiers ont été mobilisés pour le jour J. Pour l'UPAC, c'est une occasion à ne pas manquer pour montrer ses couleurs. D'ordinaire, l'organisation aime travailler avec discrétion. Mais au moment de conclure l'enquête qu'elle a baptisée Honorer, elle tient à se faire voir. Le commissaire Lafrenière sait qu'il doit livrer des résultats pour justifier un budget annuel de plus de 30 millions $ et près de 300 employés. Et aussi, pourquoi pas, pour inciter des dénonciateurs potentiels à alerter la police dans d'autres cas de corruption.

De manière exceptionnelle, l'UPAC a donc pris les moyens pour que certains journalistes soient alertés, dès la veille, que des arrestations auraient lieu. Judicieuse initiative. Avant l'aube, des équipes de photographes et de cameramen sont donc déployées chez les suspects potentiels, dont le Versailles, l'immeuble où habite l'ex-maire depuis quelques mois. Deux voisins de Gilles Vaillancourt ont aussi été prévenus. Ils attendent les enquêteurs pour leur ouvrir la porte à 6 heures. Les voitures banalisées de la police entrent dans le garage, d'où les enquêteurs montent au 9e étage pour aller cueillir le maire. Ils font d'une pierre deux coups au Versailles, puisque Anthony Mergl, de la firme de construction collusionnaire Nepcon, y habite également. Mergl ne connaîtra finalement jamais le verdict de la justice, car il décédera en juin 2015 avant de subir son procès.

Vaillancourt prend le temps de revêtir un veston-cravate et est amené à 7 h 30 dans une Chevrolet Impala blanche banalisée au quartier général de la Sûreté du Québec, rue Parthenais à Montréal. L'immanquable entrepreneur Tony Accurso, celui qui avait la part du lion des contrats publics de construction à Laval depuis 20 ans, est également amené au poste de police. Ce dernier est déjà habitué des méthodes policières ; il avait déjà été arrêté, un an auparavant, dans une affaire de corruption alléguée à Mascouche, en banlieue nord-est de Montréal.

À l'Assemblée nationale, c'est l'onde de choc quand élus, attachés politiques et journalistes apprennent le bilan de l'opération Honorer. L'annonce des chiffres sonne comme une tonne de briques lors d'un point de presse de Robert Lafrenière à 11 heures. Pas moins de 37 hommes ont été arrêtés depuis le début de la journée. « Ça démontre que les policiers font leur travail, que les enquêtes aboutissent », lance avec une pointe de fierté le ministre péquiste de la Sécurité publique, Stéphane Bergeron. Au Parti québécois, on se félicite d'un tel opportunisme politique. Le gouvernement Marois n'est en place que depuis l'automne précédent, mais c'est lui qui récolte l'approbation dans l'opinion publique qui découle de frappes d'une telle ampleur. Et ce, même si les péquistes étaient loin du pouvoir lorsque l'enquête criminelle a débuté à la fin 2010. Récemment confinés aux bancs de l'opposition officielle, les libéraux rient jaune, même s'ils ne se gênaient pas pour dire, du temps de Jean Charest, que les élus ne devraient jamais se mêler du travail de la police. « J'ai bien hâte qu'ils nous félicitent, le Parti libéral, d'avoir mis en place l'UPAC, parce que le résultat du travail des policiers, bien une partie, ce matin est devant vos yeux », ne manque pas de souligner le député libéral et ex-policier Robert Poëti.

Les accusations de gangstérisme contre l'ex-maire frappent particulièrement l'imagination. Dans les annales du Québec, elles avaient été réservées jusque-là à des criminels violents comme les motards. Réal Ménard, qui avait déposé le premier projet de loi antigang au Parlement fédéral en 1995, en tant que député du Bloc québécois, n'en revient pas. « Jamais je n'aurais pu m'imaginer que ces dispositions, qu'on a poussé le gouvernement fédéral à adopter au moment où des bandes de motards s'affrontaient à Montréal, allaient servir contre un élu ou des hauts fonctionnaires. C'est très troublant, mais c'est un précédent important », confie-t-il alors au *Journal de Montréal*.

Gilles Vaillancourt comparait, menotté, vers 16 heures. À ses côtés dans le box des accusés, ses complices Claude Deguise et Claude Asselin sont les deux seuls autres membres du groupe à être accusés d'appartenir à une organisation criminelle. Vaillancourt, au surplus, dirigeait cette organisation, selon la Couronne. Les accusations de gangstérisme seront finalement abandonnées dans le cadre de négociations lorsque les trois hommes plaideront coupables à d'autres chefs d'accusation, quelques années plus tard.

Gilles Vaillancourt est à ce moment un fraudeur allégué, mais il n'est pas un meurtrier, un agresseur ou un autre genre de criminel violent. Il ne restera donc pas détenu en attendant d'être jugé, puisqu'il ne constitue pas un risque pour la sécurité du public. « Je n'ai même pas un pistolet à eau », lance Vaillancourt à la juge Lise Gaboury, lorsqu'on lui énumère les conditions de sa remise en liberté qui comprennent notamment l'obligation de remettre à la police ses armes à feu. L'ex-maire est dépouillé de son passeport et doit verser une caution de 150 000 $. Vaillancourt n'a pas encore perdu ses airs de Monarque. La tête haute, il ne jette pas un seul regard vers la salle d'audience bondée.

Même lorsqu'il sort par la porte principale en fin de journée, l'ex-maire affiche la même assurance fragile. « J'ai plaidé non coupable. J'aurai beaucoup d'arguments à faire valoir au moment opportun. Je vais maintenant me consacrer à ma défense et à prouver mon innocence », annonce-t-il à la meute de journalistes qui l'attendent devant le palais de justice, avant de prendre la poudre d'escampette. Ce sera la dernière fois avant son incarcération que Gilles Vaillancourt acceptera de parler en public des accusations dont il fait l'objet. L'ex-maire rentre chez lui, au Versailles, le soir même.

LA NOUVELLE VIE DU MONARQUE
SANS SA COURONNE

Dans les semaines suivantes, à la commission Charbonneau, les témoins viennent décrire le système Laval. L'agent officiel du PRO, Jean Bertrand, raconte entre autres comment il remboursait systématiquement les dons électoraux de presque tous les candidats du parti de Gilles Vaillancourt, pendant une bonne quinzaine d'années. Il explique sans détour qu'Alexandre Duplessis, qui occupe maladroitement la fonction de maire par intérim depuis le départ de Gilles Vaillancourt, faisait partie de ces candidats pions qui servaient allègrement de prête-noms.

C'en est trop pour le gouvernement Marois. Le ministre des Affaires municipales, Sylvain Gaudreau, lance un ultimatum au maire intérimaire. Il doit clarifier si oui ou non il a participé au stratagème de financement politique illégal. Le ministre laisse ouvertement planer la menace d'une mise en tutelle de la troisième plus grosse ville du Québec. Plutôt que de s'expliquer et de répondre aux questions, Duplessis demande lui-même la mise en tutelle de sa propre ville, en plein vendredi après-midi. Lui et son conseil municipal resteront en place, mais seront dépouillés de presque tous leurs pouvoirs. À bien y penser, c'est un rôle fort semblable à celui qu'ils occupaient quand Vaillancourt était le *boss*. Dès le lundi suivant, Florent Gagné, un ancien sous-ministre qui avait aussi été directeur de la Sûreté du Québec, devient responsable de la tutelle. Chaque contrat octroyé par la Ville devra d'abord être revu par lui et ses deux adjointes.

Alexandre Duplessis n'aura même pas le temps de se rendre jusqu'aux élections du 3 novembre. Fin juin, à la suite de révélations de l'animateur de TVA Claude Poirier, Duplessis reconnaît avoir porté plainte à la police parce qu'il estimait que deux prostituées avec qui il faisait affaire lui avaient extorqué de l'argent.

Dans un premier temps, Duplessis nie avoir sollicité les services des prostituées. Nerveux lors d'un point de presse à l'hôtel de ville, il écarte la possibilité de démissionner.

Il n'en fallait pas plus pour que la propriétaire de l'agence d'escortes montre à Claude Poirier 110 messages textes qu'elle a échangés avec le maire de Laval, qui montrent que ce dernier a effectivement requis la présence d'une prostituée à son chalet de Sainte-Agathe, dans les Laurentides. Les médias font leurs choux gras du contenu de ces messages. En prévision de sa rencontre avec l'escorte à 160 $ l'heure, Duplessis demande notamment s'il peut porter des sous-vêtements féminins. Du vin blanc sera servi. « Ils [l'escorte et Duplessis] se sont habillés en femmes. Il voulait passer une soirée comme entre copines », raconte à la télévision la patronne de l'escorte qui a rendu visite au maire par intérim.

Humilié, Alexandre Duplessis annonce sa démission par communiqué avant même la fin de la journée. Il n'effectuera plus d'apparition publique. Il peut au moins se consoler, son agonie aura été beaucoup plus courte que celle de Gilles Vaillancourt. La conseillère de Fabreville, Martine Beaugrand, une des deux seules élues encore en place à n'avoir jamais été reliée au stratagème de prête-noms du clan Vaillancourt, assurera l'intérim au poste de maire à partir de juillet.

LE DEUIL DE LA POLITIQUE

On peut sortir le politicien de l'hôtel de ville, mais on ne peut pas sortir la politique du politicien. En août 2013, la campagne électorale bat son plein à Laval en prévision du scrutin du 3 novembre. Gilles Vaillancourt ne supporte pas d'être tenu à l'écart, lui qui a passé les 40 dernières années comme élu. Il contacte donc la conseillère municipale Claire Le Bel, ex-membre de son parti, qui s'est portée candidate à la mairie de Laval, et propose de la rencontrer.

Travailleuse sociale de formation, Claire Le Bel a œuvré de longue date dans le milieu communautaire lavallois avant de faire le saut en politique municipale. Elle n'a jamais eu d'affinités profondes avec Vaillancourt. Loin de là. Au tournant des années 2000, elle dit avoir reçu une mise en demeure à titre de directrice de l'organisme Entraide Pont-Viau. Son frère a écrit un article dans le petit journal de l'organisme communautaire, un feuillet tiré à 10 000 copies, dans lequel il dénonce le conseiller municipal Benoît Fradet, membre du parti de Gilles Vaillancourt. Dans l'entourage du maire, on n'apprécie pas. « J'ai rencontré Vaillancourt. Il m'a clairement expliqué que, finalement, il avait le bras long. Qu'il pouvait nous couper le financement, ce qui est arrivé. On a été obligés de fermer le journal », se rappelle Claire Le Bel, que nous avons rencontrée dans le cadre de la préparation de cet ouvrage.

En 2009, Mme Le Bel finit néanmoins par rejoindre les rangs de l'équipe Vaillancourt et par remporter son élection. Cette victoire n'est pas une grande surprise, puisque tous les candidats de l'équipe Vaillancourt se font élire lors de ce scrutin. « C'était la mode d'aller chercher des jeunes femmes du communautaire. Il fallait changer l'image [du parti PRO] », dit-elle.

Claire Le Bel, qui n'aura passé qu'un seul mandat au sein du parti de Vaillancourt, est donc surprise que ce dernier veuille l'aider en 2013. Vaillancourt insiste. « Il a appelé. Il a appelé plein de fois », dit Claire Le Bel, qui envoie d'abord sa secrétaire en éclaireuse pour rencontrer l'ex-maire. Elle accepte finalement de recevoir le maire déchu dans la salle de réunion de son organisation. La conversation avec Vaillancourt sera enregistrée à la suggestion de son directeur de campagne Reny Gagnon, un mystérieux organisateur politique qui a fait ses classes au Bloc québécois.

L'ex-maire met cartes sur table. « Si vous avez besoin de moi, je serai capable de vous aider très discrètement, sans surtout le faire savoir à personne, promet-il. J'essaierai de faire trois ou quatre appels pour que les gars t'aident un peu. » Gilles Vaillancourt a beau être visé par plusieurs accusations criminelles, il évoque même qu'un « nouveau système » de financement est déjà en place depuis son arrestation, même si tous à Laval prétendent désormais laver plus blanc que blanc.

Début octobre, Mme Le Bel se fait convaincre par ses collaborateurs de raconter tout à Radio-Canada, qui diffuse des extraits de l'enregistrement. Toutefois, la sortie publique de la candidate Le Bel tourne au vinaigre dès le lendemain à cause d'une bourde de Reny Gagnon. L'homme affirme publiquement avoir été agressé par deux hommes qui ont intercepté son véhicule. Gagnon, qui était dans la salle lorsque Vaillancourt a été enregistré, raconte s'être arrêté en bord de route pour réparer une crevaison, et que c'est à ce moment qu'il a été roué de coups. Compte tenu du contexte, c'est le choc. Des sympathisants de Vaillancourt tenteraient-ils de venger le Monarque dont la tentative maladroite de s'immiscer dans la campagne électorale est désormais connue du public ? Claire Le Bel, inquiète, est placée sous protection policière.

Or, Gagnon est forcé de se retirer du parti lorsque *Le Journal de Montréal* révèle que la police doute que l'histoire soit fondée. Reny Gagnon sera plus tard accusé de méfait public pour avoir tout inventé.

Claire Le Bel a désormais perdu le contrôle de sa campagne. Ne comptant que sur des moyens financiers et humains modestes, elle sera sèchement battue lors du scrutin du 3 novembre, récoltant seulement 12,4 % des voix, contre 24,3 % pour Jean-Claude Gobé et plus de 44 % pour le nouveau maire Marc Demers.

Ce n'est pas parce qu'un nouveau maire est désormais légitimement en place que Gilles Vaillancourt va rester chez lui. Depuis son départ, il y a un an, une quarantaine de boîtes de documents qui datent de son administration ont été entreposées dans la chambre de fournaise de l'hôtel de ville. En novembre 2013, l'ex-maire déchu débarque sur les lieux. Il a eu vent que les vérificateurs embauchés par la toute nouvelle administration de Marc Demers viennent de commencer à fouiller. Leur mandat est clair : estimer le montant que Gilles Vaillancourt a volé aux contribuables lavallois pendant le quart de siècle qu'a duré son règne.

Vaillancourt demande d'avoir accès à des dossiers qu'il dit avoir laissés sur place lors de sa démission. Les vérificateurs refusent de collaborer. On appelle le nouveau maire sur son portable. Autre refus net de donner accès aux locaux à l'ex-maire. Gilles Vaillancourt insiste et attendra plus d'une heure dans le hall d'entrée froid et bétonné de l'hôtel de ville. « Les employés étaient terrorisés », se rappelle un témoin. L'ex-maire repart les mains vides. Finie, l'époque où il imposait ses quatre volontés au 1, Place du Souvenir.

Lentement, la culture change à l'hôtel de ville. Le vaste bureau orné de boiseries qu'il occupait au deuxième étage n'est plus un véritable bunker. Marc Demers y fait installer une grande table où peuvent se réunir les employés pour dîner. Les grandes portes qui y mènent sont désormais déverrouillées en permanence. Une employée qui comptait huit ans de service y avait mis les pieds seulement deux fois pendant le règne de Vaillancourt. Le directeur général n'est plus la seule personne qui a le droit de s'adresser au maire.

S'il n'a pu récupérer ses documents à l'hôtel de ville, Gilles Vaillancourt bénéficie quand même de petites victoires. En février 2014, il réussit à convaincre la juge Johanne St-Gelais, de la Cour supérieure, de le laisser quitter le pays pendant deux semaines pour aller se faire dorer la couenne en Floride. L'ex-maire et sa femme Francine possèdent en effet depuis 2006 un confortable condominium de près de 1300 pieds carrés au bord de la mer à Sunny Isles, en banlieue de Miami.

En 2014, donc, pour son premier voyage prévu depuis qu'il a été accusé de gangstérisme, moins d'un an auparavant, Gilles Vaillancourt réussit à récupérer temporairement son passeport, qui lui avait été confisqué lors de son arrestation. À l'UPAC, on fulmine à la suite de cette décision de la juge. Les enquêteurs et les procureurs qui ont travaillé d'arrache-pied pendant des mois afin de passer les menottes à l'ex-maire n'en reviennent pas qu'un individu accusé de gangstérisme puisse faire ainsi la belle vie.

C'est la dernière fois que Vaillancourt pourra quitter le pays. En novembre de la même année, il refait une tentative pour s'envoler vers la Floride pendant trois semaines avec l'intention d'y passer les Fêtes. Cette fois, la cour refuse, mais elle interdit aux journalistes de rapporter pourquoi.

LES CENT PAS EN ATTENDANT LA PRISON

Gilles Vaillancourt est redevenu un citoyen privé depuis sa démission à la fin 2012. L'ex-maire est de plus en plus isolé. De nombreux Lavallois le reconnaissent et le saluent, mais il n'a pas beaucoup d'amis intimes et il tente tant bien que mal de garder le contact avec son réseau d'influence. Attablé au restaurant La Belle Province du boulevard Samson, dans son repaire de Chomedey, il rencontre en privé des gens qu'il fréquentait auparavant comme maire de Laval. « Sa plus grande peine, c'est que les Lavallois ne se rappellent pas à quel point il avait travaillé fort pour eux », résume un de ses interlocuteurs.

Pour tourner le fer dans la plaie, la Ville de Laval s'apprête, au mois d'août 2015, à célébrer son 50e anniversaire. Et Vaillancourt n'est évidemment pas le bienvenu dans aucune des cérémonies qui ont été prévues par la nouvelle administration de Marc Demers pour marquer l'événement. Cela le blesse profondément, lui qui fut premier magistrat de la Ville pendant près de la moitié de son histoire. À ce moment, il n'a pas encore reconnu les crimes qu'il a commis.

Dans l'immeuble de l'île Paton où il habite toujours, Gilles Vaillancourt fait les cent pas. Loin d'être discret malgré les graves accusations criminelles dont il fait l'objet, il cherche à s'occuper. Le Versailles est en rénovations, et l'ex-maire s'improvise surveillant de chantier, même s'il ne fait pas partie des administrateurs ou des gestionnaires de l'immeuble.

« Il inspectait tous les étages, à tous les jours. Il prenait sa marche », se rappelle un voisin que nous avons rencontré pour la préparation de ce récit. Vaillancourt se présente avec sa valise aux assemblées de copropriétaires. Armé de ses papiers, il pose beaucoup de questions. Ses visites au bureau de l'administration de l'immeuble sont régulières.

« Il se sentait impliqué, pareil comme si c'était à lui, le *building*. »

L'ex-maire a aussi développé une habitude très particulière pour garder le contact avec son entourage : les rencontres ont souvent lieu dans la piscine de la tour à condo. Il discute avec trois ou quatre de ses amis, debout dans l'eau. Pour l'ex-maire, habitué à prendre mille précautions pour éviter d'être enregistré à son insu depuis la fin de son règne à l'hôtel de ville, la piscine présente un avantage de taille : il est en effet difficile de cacher un micro lorsqu'on est vêtu d'un simple maillot de bain.

LE REFUGE DANS LE BÉNÉVOLAT

« Bonjour madame, vous avez donc des beaux yeux. » C'est en ces mots que Gilles Vaillancourt s'adresse à Nicole, la sœur de sœur Mariette Desrochers, directrice de l'organisme de bienfaisance Partage Saint-Maxime.

Nous sommes en 2013, peu de temps après son arrestation. L'ex-maire est venu manger en fin de journée, comme c'est souvent son habitude, au restaurant La Belle Province du boulevard Samson.

L'air gêné, Vaillancourt a utilisé son côté charmeur pour entamer la conversation avec la patronne de Partage Saint-Maxime, qui a pignon sur rue dans Chomedey depuis presque 90 ans.

Mariette Desrochers avait reconnu Gilles Vaillancourt lorsqu'elle est entrée avec sa sœur dans le restaurant, et l'avait salué de la tête. Elle ne se doute pas de ce que le maire déchu veut lui demander. « Vous êtes au Partage Saint-Maxime ? Est-ce qu'on peut aller chez vous faire du bénévolat ? » demande alors le Monarque. « La porte est toujours ouverte, tout le monde est le bienvenu », lui répond la religieuse.

La conversation s'arrête là, mais quelques jours après, Gilles Vaillancourt se présente bel et bien à Partage Saint-Maxime, qui offre un service de repas aux plus démunis du quartier. Il cherche à s'occuper. « Je pourrais peut-être aider à la cuisine », suggère-t-il, lui qui n'a pourtant aucune expérience en la matière et qui laissait toujours sa femme Francine s'occuper de la préparation des repas à la maison.

La présence de l'ex-maire alors accusé de gangstérisme ne fait pas l'unanimité. Mais sœur Desrochers, animée par ses valeurs de pardon, tente de convaincre les mauvaise langues de faire preuve de tolérance.

« J'ai dit, écoutez, je ne mets personne dehors. Si c'était votre frère, votre sœur, votre mari, vous feriez quoi ? » se rappelle-t-elle, en entrevue dans le cadre de la préparation de ce livre.

Au début, Vaillancourt ne vient aider qu'une fois par semaine, mais ses présences se font plus nombreuses, et il viendra faire du bénévolat jusqu'à trois ou quatre fois par semaine au cours des années suivantes, avant d'aller en prison. Les raisons des visites fréquentes de l'ex-maire ne sont pas que charitables. À Partage Saint-Maxime, Gilles Vaillancourt retrouve un réseau social, des connaissances de longue date qui l'aident à briser l'isolement depuis qu'il a quitté la mairie. Il retrouve une routine et se présente le matin vers 9 heures, salue tout le monde et serre la main à tous.

Comme s'il s'agissait d'un vrai emploi rémunéré, il appelle pour prévenir lorsqu'il sera en retard ou devra s'absenter, par exemple dans le cas d'une rencontre avec son avocate ou d'une audience au palais de justice.

Lors du repas du midi avec les employés et bénévoles du centre, il ne se fait pas prier pour partager ses vastes connaissances sur Laval. Égocentrique, il aime bien parler de ses réalisations et de son travail inlassable pour le développement de sa ville.

« Il était intéressant parce qu'il savait tout sur l'histoire de Laval. Il parlait de sa famille aussi, comment ils ont travaillé dur », se rappelle Mariette Desrochers.

Nicole et Mariette Desrochers deviennent des confidentes pour lui. À mesure que l'ex-maire prend conscience de la gravité des accusations qui pèsent contre lui et de la solidité de la preuve amassée par la police, la perspective de se retrouver derrière les barreaux devient de plus en plus réelle. « Il était comme dépressif. À chaque fois, on le remontait. Il venait ici, il disait, ça me fait du bien », se rappelle Mariette Desrochers.

« Si je vais en prison, est-ce que vous allez venir me visiter ? » demande-t-il un jour à la directrice de l'organisme de charité. « Je vais toujours prier pour vous, répond la sœur. Et si vous avez la chance de donner des nouvelles, on va donner des nouvelles. » « Et quand je vais sortir ? » demande encore l'ex-maire. « La porte est toujours ouverte », assure la religieuse.

Sœur Desrochers, qui fréquente chaque jour des démunis, des gens en détresse et d'autres qui ont un passé criminel, propose à l'ex-maire d'avouer ses crimes et ainsi de garder un peu de dignité. « Pourquoi ne pas vous livrer, tout simplement ? Vous serez libéré », lui propose-t-elle lors d'une de leurs rencontres dans son bureau de Partage Saint-Maxime.

Ces séances de discussion semblent faire le plus grand bien à Gilles Vaillancourt. « Il était content, il me remerciait, il me donnait la main, il me demandait, permettez-moi de vous embrasser. Pis il partait comme ça, le cœur gros, les larmes aux yeux. »

Alors qu'il confronte encore très maladroitement ses démons, Gilles Vaillancourt s'attire les moqueries des commentateurs lorsque sa présence à Partage Saint-Maxime devient publique. C'est en juin 2015, alors qu'il accepte de se faire photographier à la une du quotidien *La Presse* en train de brasser la soupe populaire.

Le cliché est particulièrement léché. Le gangster allégué est affublé d'un tablier à carreaux, cuillère de bois à la main, le regard posé sur la casserole fumante. Une douce lumière entre par la fenêtre. « J'ai toujours beaucoup aimé aider les gens. C'est ce qui m'a motivé toute ma vie, en politique et avant la politique », explique Vaillancourt à la journaliste Kathleen Lévesque, qui l'avait d'abord approché dans les corridors du palais de justice de Laval, où il se rendait pour subir son enquête préliminaire. Le maire déchu affirme même avoir appris les rudiments de la cuisine et être notamment capable de confectionner un pâté chinois pour sa femme Francine.

Gilles Vaillancourt cherche-t-il à attirer la sympathie ? Les commentateurs ne se gênent pas. Le roi des ondes matinales, Paul Arcand, peine à contenir son indignation. « Est-il dans une opération "je fais pitié ? Moi le vieux Gilles" ? On peut-tu se garder une gêne ? [...] Le braille-o-rama, ça fait pitié. La prochaine fois, c'est le lit d'hôpital ? On va suivre ses prises de sang ? Ça n'a pas de bon sens », lance l'animateur de radio aux heures de grande écoute. « S'il a une once de remords, qu'il émette un chèque, à même sa fortune, au nom de la Ville de Laval, pour les millions qu'il est accusé d'avoir volés aux Lavallois », tonne pour sa part le maire Marc Demers.

Vaillancourt est le seul à savoir s'il a vraiment des remords. Mais il a commencé à chercher une façon de régler son dossier judiciaire. En avril 2015, il donne le feu vert à son avocate Nadine Touma pour que des négociations avec les procureurs de la Couronne puissent être entreprises. Les pourparlers se dérouleront dans le plus grand secret et dureront plus d'un an et demi.

VAILLANCOURT EN PRISON

Le 1er décembre 2016, Gilles Vaillancourt débarque du véhicule de son avocate dans le stationnement de l'hôtel de ville de Laval. L'ex-maire était attendu. La veille, plusieurs médias ont rapporté qu'après des mois de négociations, il a finalement conclu une entente avec les procureurs de la Couronne pour plaider coupable et rembourser des millions de dollars aux contribuables. Pourchassé par les caméras de télévision, il entre rapidement par la porte de côté.

Vaillancourt sait qu'il en est à ses dernières heures en tant qu'homme libre. Il a fait la paix avec la perspective de passer les Fêtes en prison plutôt qu'avec sa famille dans son condo de l'île Paton. Les mois d'hiver se dérouleront dans une cellule plutôt qu'à sa résidence de Floride. Désormais âgé de 75 ans, il a les traits tirés mais semble serein. Complet bleu marine, cravate au cou ; sa tenue distinguée contraste avec les vêtements confortables que choisissent de porter plusieurs criminels qui prennent le chemin de la prison. Il se permet même de serrer des mains avant d'entrer dans la salle de cour, incluant celles de quelques enquêteurs de l'UPAC, surpris.

Vaillancourt est désormais plus pauvre de 8,6 millions $, soit l'essentiel de sa fortune, qu'il a accepté de remettre aux autorités. Dans les semaines précédentes, il a notamment entrepris des mesures pour rapatrier les 7 millions $ qu'il détenait dans des comptes en Suisse et 1,7 million $ ont déjà été transférés au DPCP. La balance, soit environ 5,3 millions $, arrivera cinq jours plus tard. Gilles Vaillancourt accepte aussi de faire une croix sur la pension d'environ 30 000 $ par année (d'une valeur totale estimée à 500 000 $) qui lui était due jusqu'à sa mort par la Ville de Laval. Finalement, l'ex-maire remet les clés de son condo d'un million de dollars dans l'immeuble Le Versailles, sur l'île Paton. Cette dernière concession est un moindre mal. La justice permet à sa femme Francine d'habiter sur place pendant encore plusieurs mois. En avril, elle achètera un autre condo plus modeste, valant 340 000 $, dans le même immeuble et au même étage. Elle bénéficiera pour ce faire d'un don de 205 000 $ de sa fille. On lui laisse même le temps de faire d'importantes rénovations dans sa nouvelle demeure avant de s'y installer.

En retour du plaidoyer de culpabilité et du remboursement de millions de dollars, l'avocate de Vaillancourt, Me Nadine

Touma, et les procureurs de la Couronne ont négocié une peine d'emprisonnement d'un peu moins de six ans. Le système de libérations conditionnelles étant ce qu'il est, tous savent fort bien que l'ex-maire ne passera qu'une fraction de cette période derrière les barreaux s'il fait preuve de bonne conduite.

Dans la salle d'audience, Vaillancourt semble confus devant l'acte de contrition qu'il doit faire en plaidant coupable. Son désir de montrer qu'il avait à cœur le bien de Laval refait surface une fois de plus. « Je n'avais pas d'intentions criminelles », répond-il après avoir hésité lorsque le juge James Brunton lui demande s'il reconnaît la responsabilité de ses crimes. La réponse ne passe pas auprès du magistrat, reconnu pour son sérieux. La séance est interrompue le temps que Me Touma rappelle son client à l'ordre. Elle parvient à le convaincre qu'à défaut de reconnaître sa responsabilité, l'entente dont les négociations se sont étirées sur des mois tombera à l'eau. Dans une ultime pointe de fierté, Vaillancourt reconnaît ses crimes, mais tient à rappeler devant le tribunal qu'il estime avoir accompli « de grandes choses à Laval ». « Les erreurs que j'ai commises ne sont pas acceptables, je le comprends. Je souhaite purger ma peine le plus rapidement possible et tenter de redevenir un actif pour la société », ajoute-t-il toutefois.

Le juge Brunton ordonne sa détention immédiate. Envoyé temporairement à la prison de Saint-Jérôme, il est accueilli en soirée avec le choix d'un sandwich au fromage ou au jambon pour souper. Un bien maigre repas, même pour quelqu'un qui n'avait jamais eu des goûts de luxe et préférait les restaurants populaires pour rencontrer son réseau alors qu'il était un homme libre.

DEUXIÈME PARTIE

3

DE CONSEILLER MALHABILE
À MAIRE DE LAVAL

Absolument rien ne prédestine Gilles Vaillancourt à devenir l'un des maires les plus puissants de l'histoire du Québec moderne. Dans le modeste quartier de Laval-des-Rapides où il est né le 9 janvier 1941, personne ne se doute que cet aîné d'une fratrie de 10 enfants va un jour règner sans partage sur Laval, et ce, pendant plus de 20 ans. Enfant, Gilles lui-même ose-t-il aspirer à une carrière aussi flamboyante ? Rêve-t-il déjà d'amasser des millions de dollars et de devenir un homme respecté, voire craint de plusieurs ?

Timide, avec peu d'assurance, le jeune Vaillancourt ne s'imagine probablement pas des scénarios aussi précis, mais, chose certaine, il est déjà déterminé à tout faire pour grimper dans l'échelle sociale. S'échapper de son milieu est une priorité à ses yeux, peu importe le prix à payer.

Le chemin de la réussite s'annonce pourtant long et ardu. Le clan Vaillancourt est l'un des plus démunis de son quartier. Le père, Marcel Vaillancourt, peine à faire vivre la maisonnée avec son seul salaire de policier. Sa femme, Denise, tente par tous les moyens d'améliorer l'ordinaire du ménage. Elle confectionne elle-même les vêtements de ses enfants, par souci d'économie. Dans une entrevue accordée au magazine corporatif *Source* au début des années 2000, Gilles révèle n'avoir porté que la griffe maternelle jusqu'à sa 11e année de scolarité. « Il n'est donc pas faux de prétendre que nous étions plutôt pauvres », dit-il.

C'est d'ailleurs ce qui pousse Marcel à fonder, au milieu des années 1950, le magasin de meubles MD Vaillancourt. Il cherche ainsi à augmenter les revenus de la famille. Il chérit aussi l'espoir d'amasser assez d'argent pour offrir à certains de ses enfants la possibilité d'entreprendre des études supérieures. La rumeur veut que le magasin prenne d'abord forme dans le sous-sol familial pendant quelques années avant d'avoir pignon sur rue à Laval-des-Rapides.

À l'instar de son fils Gilles, Marcel cherche constamment à améliorer son sort et celui de sa famille par tous les moyens possibles. Très tôt, il inculque à ses enfants la valeur du travail et, surtout, le goût de la réussite. Il veut leur montrer, en prêchant d'exemple, qu'il est possible de s'enrichir et de s'élever sociale-ment. En plus du magasin, Marcel Vaillancourt s'implique dans une foule d'organismes lavallois et dans le milieu des commissions scolaires. Il ne prend jamais de repos. Le travail acharné du père impressionne vivement le jeune Gilles, qui tâchera de suivre ses traces tout au long de sa carrière.

Mais cette lutte de tous les instants se fait au détriment d'une certaine tendresse au sein de la famille Vaillancourt. Les sentiments n'ont pas leur place, la vie est rude et les enfants doivent marcher droit. Le travail est au centre de la vie familiale. Malgré cela, la solidarité règne chez le clan Vaillancourt, dont les membres sont « tissés serrés ». Encore une fois, le père donne l'exemple : on voit souvent la fratrie de Marcel chez lui et l'entraide est la règle numéro un au sein de la famille élargie.

Gilles est très lié à ses frères, même si le futur maire de Laval affiche déjà un caractère distinctif. Pendant que Marcel se démène pour renflouer le portefeuille familial, les cinq frères de Gilles – Paul, Benoit, Guy, Luc et Alain – font les 400 coups à Laval-des-Rapides. Portés sur l'alcool, ce sont des « jeunes de party », décrit l'ancien conseiller du PRO des Lavallois Jean-Jacques Lapierre, qui a œuvré pendant plus de 20 ans sur la scène politique lavalloise. « Ils ne faisaient rien de mal. Mais toute la gang [aimait] les bonnes bagarres. Ils n'étaient pas raffinés, mais c'étaient des gens débrouillards. » À part quelques excès de vitesse çà et là, aucun d'entre eux n'a toutefois de véritables ennuis avec la justice. On parle fort et on s'amuse fort, certes, mais les jeunes Vaillancourt sont loin d'être des délinquants.

Gilles, lui, est beaucoup plus tranquille, même si adolescent, il est un jeune homme friand de sport doté d'un fort esprit de compétition. Il pratique régulièrement, avec brio, le football et le hockey, et il cherche à gagner à tout coup. Dans tous les aspects de sa vie, il vise haut. Pendant que ses frères font la fête, le jeune homme planifie déjà son avenir. À l'époque, Lucille Dénommé est barmaid au restaurant Chez Micheline, situé sur la 83e avenue près du boulevard Curé-Labelle, à Chomedey. Plus âgée de quelques années que Gilles, c'est avec ses frères cadets qu'elle fraie le plus souvent et avec qui elle préfère sortir dans les bars. « Gilles était très calme et sérieux. Il ne prenait jamais un verre de trop. À un point tel que quand il voulait sortir danser avec nous, on ne voulait pas l'emmener », se remémore la Lavalloise.

En cela, le jeune Vaillancourt ressemble au paternel qui vient systématiquement prendre un verre à 22 heures dans le bar où se trouvent ses fils, pour leur lancer « discrètement » le signal qu'il est temps de rentrer à la maison.

Gilles est surtout très proche de Paul, Benoit et Guy. Leur complicité résistera à toutes les tempêtes grâce à leur solidarité fraternelle, mais aussi en raison de la gestion commune du magasin familial. Que ce soit dans le bureau de Gilles à l'hôtel de ville ou dans une salle de réunion de la boutique familiale située près du Carrefour Laval, les frères se réunissent souvent et les discussions sont pour le moins animées. Parfois en désaccord, ils n'hésitent pas à hausser le ton, voire à lancer des objets. Mais toute trace de dispute s'efface lorsque l'aîné a besoin d'aide sur le terrain. Le bien commun de la famille prime.

À l'aube de l'âge adulte, il est clair pour lui qu'il ne prendra pas la relève de son père à la tête de l'entreprise, en dépit de sa volonté de demeurer impliqué dans le magasin familial. Gilles veut plutôt devenir pharmacien ; un métier qui aura l'avantage de lui fournir des revenus importants tout en lui assurant un certain prestige social. La route du succès semble toute tracée. Mais, un terrible événement va bousculer ses plans.

CHANGEMENT DE PARCOURS

Alors qu'il étudie en pharmacie à l'université, Gilles Vaillancourt est victime d'un grave accident de la route. Par la suite, il parlera rarement en public de cet événement. Même la date précise de l'événement n'est pas connue à ce jour. On sait à tout le moins que l'accident est assez brutal pour envoyer Gilles à l'hôpital pendant près d'une année entière. Plâtré et confiné à son lit pendant de longs mois, Gilles doit abandonner temporairement ses études et voit ses plans compromis.

Il subit une dizaine de chirurgies à une jambe qui lui laissent des séquelles : toute sa vie, il boitera légèrement. Avec le temps, il réussit à si bien camoufler sa claudication qu'il est quasiment impossible de savoir quelle jambe a été blessée. Pendant des années, cette infirmité demeure une source d'embarras pour Gilles, comme il le confie au conseiller municipal Jean-Jacques Lapierre dans les années 1980.

Pour le sportif sans peur qu'est le jeune Vaillancourt, le coup est dur. Il abandonne ses études en pharmacie. « Réalisant que je n'aurais certainement plus la capacité de me tenir debout à l'arrière d'un comptoir durant de longues heures, j'ai réorienté mes études vers la gestion de commerce de détail à l'Université du Québec, où j'y ai décroché un diplôme. Je me suis par la suite joint à l'entreprise familiale », dit-il à *Source. Le magazine de l'eau au Québec* en 2006. Il confie aussi au journal *Courrier Laval* que si cette épreuve l'a laissé avec un « handicap physique », elle lui a aussi appris la « patience et la détermination ».

Pour l'heure, Gilles Vaillancourt doit refaire ses plans d'avenir et il s'attaque à la tâche dès qu'il recouvre la santé. Le jeune homme n'est pas inquiet : c'est peut-être la première fois que tous ses plans sont chamboulés, mais il sait que ce n'est certainement pas la dernière.

Peu à peu, Gilles réorganise sa vie. Malgré ses nouvelles études en commerce, Gilles change d'avis sur sa future carrière. La famille Vaillancourt s'intéresse alors beaucoup à la politique à cause des différentes possibilités d'avancement social et économique qu'offre le pouvoir. Le jeune Gilles préconise plutôt cette voie. Il apprend les subtils rouages de la vie sociale lavalloise auprès de son père. Pour la seconde fois, il se détourne de l'entreprise familiale. Même s'il laisse ses frères en superviser plus étroitement les opérations, Gilles demeure tout de même actionnaire. Le prestige et le pouvoir qui viennent avec la carrière de politicien le rapprochent davantage de son rêve déchu de pharmacien, au grand plaisir de son père. Ce dernier aime voir ses enfants « placés » stratégiquement sur l'échiquier politique et économique lavallois : c'est bon pour les affaires.

Sur le plan personnel, Gilles Vaillancourt se marie, le 19 mai 1965, avec Francine Dupuis, une femme discrète qui se tiendra loin de l'œil public tout au long de la carrière de son mari. Elle lui donne une fille, Marie-Josée, la prunelle des yeux de son père. Trois mois après ce mariage survient une autre union, qui est déterminante pour la vie du futur politicien. Le 6 août, un décret gouvernemental force la fusion des 14 municipalités de l'île Jésus : Laval est née et avec elle, de toutes nouvelles possibilités d'un point de vue politique. Et l'homme est prêt à tout, absolument à tout, pour réussir et pour se faire un nom.

UN POLITICIEN MALADROIT MAIS AMBITIEUX

En 1973, Gilles Vaillancourt, 32 ans, fait son entrée sur la scène municipale comme candidat au poste d'échevin (conseiller municipal) du district Laval-des-Rapides dans l'équipe de Lucien Paiement, un médecin lavallois, qui dirigera Laval jusqu'en 1981. Se mesurant à quatre adversaires, Gilles remporte l'élection avec 8076 voix, soit environ 800 de plus que son plus proche rival. Cela marque le début d'une longue série de victoires pour Vaillancourt : il est réélu à trois autres reprises comme conseiller dans Laval-des-Rapides et six fois à titre de maire de la Ville.

Dès le départ, Lucien Paiement fait montre d'une grande confiance en Gilles Vaillancourt, d'abord en lui permettant de se présenter dans un district important – plus de 80 000 citoyens à l'époque – et surtout en octroyant à une aussi jeune recrue un poste au comité exécutif. Le temps donne raison au maire

Paiement quant aux capacités de son poulain. Quatre ans plus tard, en 1977, Vaillancourt est réélu facilement pour un deuxième mandat à Laval-des-Rapides avec deux fois plus de voix que son plus proche adversaire.

À ses yeux, Gilles mérite ce poste au comité exécutif et il veut prouver qu'il a les capacités pour occuper d'autres fonctions plus hautes encore dans l'administration municipale. Rapidement après son arrivée à la mairie, il se fait remarquer pour son ardeur au travail. Il passe de nombreuses heures à potasser ses dossiers qu'il connaît sur le bout de ses doigts en plus d'assister à tous les événements.

En revanche, le jeune Gilles est loin d'incarner la bête charismatique de ses dernières années de vie politique. Dans les années 1970, Vaillancourt est un homme excessivement timide et un très mauvais orateur. Il doit redoubler d'efforts pour faire oublier ce qu'il considère comme un handicap. Il en sera ainsi jusqu'à ce qu'il accède au poste de maire en 1989. « Il ne savait même pas comment faire la bise aux dames », illustre Jean-Jacques Lapierre, qui qualifie le jeune Vaillancourt de politicien « banal » au discours « faible et sans contenu ».

Les manières de Gilles, tout comme son niveau de langage, laissent à désirer. Il est un peu « rustre », selon son ex-conseiller en communication, Pierre Desjardins. « Au départ, ce n'était pas un politicien ouvert et un gars sympathique, comme il l'est devenu des années plus tard. Il n'était pas chaleureux. Ce n'était pas quelqu'un de raffiné non plus. Il serrait la main des gens sans même les regarder », dit-il. Les « farces plates » de Gilles Vaillancourt et sa maladresse lui nuisent lors des rencontres avec les électeurs, selon Yves Gratton, alors conseiller du PRO et collègue de Vaillancourt. « Il s'obligeait à converser avec les gens, mais il n'aimait pas cela. Il ne regardait personne dans les yeux. Ses conversations étaient légères et rapides : il ne s'attardait pas à parler avec les personnes qu'il rencontrait. Fondamentalement, c'était un antisocial », décrit-il. Quelques années plus tard, l'homme engagera lui-même des experts en relations publiques. Ceux-ci l'éduqueront et le guideront jusqu'à la fin de sa carrière.

En 1978, Gilles perd son principal et plus fidèle conseiller : son père. L'épreuve est difficile pour le jeune politicien. Maigre consolation, il commence à être suffisamment aguerri à la vie sociale et politique lavalloise pour pouvoir se débrouiller seul. L'avenir s'annonce alors prometteur pour lui, mais la venue d'un nouveau parti aura tôt fait de reléguer le conseiller sur les bancs de l'opposition.

Insatisfaits du maire Paiement, deux anciens membres de son parti, Ronald Bussey et Achille Corbo, fondent leur propre formation politique en 1980 : le Parti du ralliement officiel (PRO) des Lavallois. Ce sera d'ailleurs ce parti qui servira plus tard si fidèlement les intérêts de Gilles Vaillancourt. Pour l'heure, cette nouvelle entité fait plutôt figure d'ennemi à abattre pour le jeune conseiller. Quelques mois avant le scrutin, Claude Ulysse Lefebvre, un intellectuel et avocat expérimenté, se joint au PRO pour en devenir le chef.

Le soir de l'élection du 1er novembre 1981, le PRO des Lavallois ravage tout ou presque sur son passage. Gilles Vaillancourt est l'un des seuls membres du parti de Paiement à survivre à cette cuisante défaite. Avec 2047 voix, il bat son plus proche concurrent par 674 votes. Lefebvre, lui, obtient 38 102 voix contre 35 693 pour l'ancien maire Paiement. C'est un dur coup pour Vaillancourt qui perd son chef et sa place enviable sur le comité exécutif, sans compter que sa formation politique est quasiment moribonde.

Qu'à cela ne tienne, Gilles sera le meilleur conseiller de l'opposition. Il continue donc de travailler d'arrache-pied et, tranquillement, il commence à faire connaître sa vision de Laval. Il se positionne clairement en faveur du développement économique et industriel de cette ville, davantage reconnue pour ses terres agricoles et sa tranquillité.

L'ex-journaliste du *Courrier Laval* Jean-Claude Grenier a connu Gilles Vaillancourt dès ses débuts en politique. Dans les années 1980, il rencontre souvent Vaillancourt, qui lui fournit des dossiers touffus sur l'administration en place. Ce dernier l'alimente en controverses ; c'est un féroce critique de Claude Ulysse Lefebvre. Plus encore, Gilles lui parle ouvertement de ses ambitions personnelles, tant pour sa carrière que pour sa ville. « Il ne voulait pas que Laval demeure une ville-dortoir. Il n'y avait pas d'hôtels, à l'époque. Il n'y avait rien ici. Gilles, lui, pensait *big*. Il avait une vision du développement de Laval et se voyait déjà au pouvoir. Je n'ai jamais douté une minute que ce gars-là deviendrait le maire de Laval. C'était le conseiller le plus solide, le plus connaisseur, le plus fort. Il était curieux et c'était surtout un grand travaillant », se rappelle M. Grenier.

Vaillancourt se démarque alors dans plusieurs dossiers, dont celui des péages sur les autoroutes en 1982. Il commence à militer activement pour leur abolition après que le gouvernement annonce son intention de hausser le tarif du péage de 25 à 50 cents. Le conseiller de l'opposition copréside un comité avec le président de la Chambre de commerce de Laval, Jean-Paul Théorêt, qui, ironiquement, se présentera contre lui à la mairie quelques années plus tard. Les deux hommes font circuler une pétition qui recueille plus de 85 000 signatures. Gilles est sur toutes les tribunes pour dénoncer les péages et, rapidement, le mouvement s'étend à d'autres villes. Le gouvernement péquiste finit par reculer sur la question et abolit les quatre derniers postes de péage de la région métropolitaine, dont ceux situés sur les autoroutes 13 et 15 à Laval. Le talent et le travail du conseiller Vaillancourt sont une fois de plus remarqués et salués.

UN PUTSCH QUI OUVRE LES PORTES DU POUVOIR

En juin 1984, un conflit déterminant éclate au sein du PRO des Lavallois. Encore aujourd'hui, les versions divergent à savoir ce qui a réellement provoqué cette crise. Dans son livre publié en 1985, *Des hommes et du pouvoir. Onze ans de lutte sur la scène municipale*, Ronald Bussey affirme que Claude Ulysse Lefebvre lui avait offert de prendre sa place comme chef du PRO quelques mois avant l'élection de novembre 1985. Selon Bussey, Lefebvre se serait ensuite ravisé et aurait manifesté le désir de terminer son mandat, ce qui aurait mis le feu aux poudres. Lefebvre, lui, prétend plutôt avoir été victime d'une tentative d'expulsion de son parti, d'un « putsch » de la part des deux conseillers et fondateurs du PRO, Achille Corbo et Ronald Bussey. Dans la foulée, Lefebvre congédie ces derniers du comité exécutif. Furieux de ces renvois, deux autres conseillers, André Boileau et Michelle Courchesne, future ministre libérale sous le gouvernement Charest, claquent la porte de l'exécutif. Lefebvre se retrouve alors dans une position délicate : pour continuer à exercer le vrai pouvoir, il doit absolument conserver la majorité au conseil exécutif.

Il décide alors de pourvoir une partie des postes désormais vacants par des conseillers de l'opposition, dont Gilles Vaillancourt. Il offre ainsi une promotion et un accès au pouvoir à son plus farouche détracteur. Sans hésiter, Vaillancourt saisit sa chance et retourne sa veste. Rapidement, il met tout en œuvre pour devenir le bras droit de Lefebvre.

Cette décision stratégique ne vaut pas que des compliments à Vaillancourt, qui se fait reprocher son opportunisme. Des années plus tard, au moment de quitter la vie publique, Claude Ulysse Lefebvre le remercie pour sa fidélité et le défend une dernière fois contre les mauvaises langues. « L'opposition, c'était Gilles Vaillancourt. Il aurait pu profiter de cette faiblesse de l'administration municipale [...] Quand j'ai eu besoin de Gilles Vaillancourt, quand Laval a eu besoin de Gilles Vaillancourt, il était là [...] Gilles Vaillancourt n'est pas un vire-capot. Il est un homme loyal, un homme fidèle, un homme engagé », déclare-t-il au *Courrier Laval*.

Tous ne sont pas aussi élogieux quant au sens du dévouement de l'ancien conseiller de l'opposition. L'ex-conseiller du PRO Jean-Jacques Lapierre soutient que Vaillancourt a habilement manœuvré pour gagner la sympathie de Lefebvre, tout en alimentant de façon souterraine le conflit entre le tandem Bussey-Corbo et lui. « Par exemple, ils [Gilles et son frère Paul] allaient voir Lefebvre, et lui disaient : "Bussey a dit que quand il sera élu, tu vas débarquer." [...] Vaillancourt a utilisé la tentative de putsch pour se faufiler. Il n'était pas proche de Lefebvre. Lefebvre l'a pris pour se sauver du trouble. Il n'avait pas de sentiment particulier envers Vaillancourt qui avait alimenté les deux côtés du conflit. » Néanmoins, une certaine complicité, du moins publiquement, se développe avec le temps entre Lefebvre et Vaillancourt.

Cinq mois plus tard, Claude Lefebvre remporte une fois de plus les élections municipales. Il obtient plus du double des voix de son adversaire, Pierre Aubrey, avec 64 359 votes. De son côté, Gilles Vaillancourt ne fait qu'une bouchée de son rival, un dénommé Marcotte, avec 3654 voix contre 821.

Signe d'une grande confiance de la part de son nouveau chef, Vaillancourt est nommé vice-président du comité exécutif. Aussi, il pilote les dossiers économiques d'importance puisqu'il est également nommé président de la nouvelle Corporation de développement économique de Laval.

Apprécié du maire, il a désormais les coudées franches pour imposer sa vision de développement de la ville de Laval. L'homme, qui œuvre maintenant depuis plus de dix ans en politique, connaît Laval par cœur et bénéficie d'une certaine réputation. Une seule chose pourrait freiner l'ambition du conseiller : sa gêne en public et son manque d'éloquence oratoire.

Son malaise en société trahit ses origines modestes. L'ingénieur Daniel Lefebvre, fils de Claude Ulysse Lefebvre, a bien connu le bras droit de son père dans les années 1980 et se rappelle à quel point le politicien était peu loquace. « C'était un gars excessivement timide. Il était très mauvais orateur, hyper mauvais. Il avait beaucoup de difficultés à articuler des idées », décrit-il.

Gilles Vaillancourt sait à quel point l'image est importante en politique et qu'il est crucial de savoir charmer son électorat. Hors de question pour lui de laisser cette faiblesse nuire à son ascension politique. Il fait alors appel à Michel Fréchette, un consultant en communication, qui était proche de l'ancien maire Lucien Paiement.

Fréchette prend Gilles en main et le transforme en homme du monde, avec l'objectif précis d'en faire un politicien digne du poste de maire. Il lui apprend comment s'exprimer – Vaillancourt doit même suivre des cours de diction ! –, comment agir en public, comment se présenter, etc. Bref, il le métamorphose. La transformation touche même le physique de Vaillancourt : ce dernier se remet à faire du sport et perd du poids. « Michel Fréchette l'a pris un peu pour le former. Pour lui montrer comment faire les choses », explique Pierre Desjardins, un ancien de la firme National. Ce dernier était responsable des communications du maire en fin de carrière.

Grâce aux bons conseils de Fréchette, Vaillancourt prend peu à peu de l'assurance et devient tout à fait « présentable ». Mieux encore, il prend goût à la vie publique et son talent oratoire ne cesse de se développer. Au début des années 1990, un autre expert des relations publiques, Michel Capistran, prend la relève. Ce dernier est un associé fondateur de Beauregard Hutchinson McCoy Capistran et associés inc., devenu ensuite le cabinet de relations publiques National.

L'ex-maire de Westmount, Peter Trent, qui a beaucoup côtoyé son collègue Vaillancourt à l'Union des municipalités du Québec dans les années 1990, raconte : « On disait qu'il n'était pas capable de parler en public, lorsqu'il était jeune. Il a tranquillement appris et est devenu finalement l'un des meilleurs orateurs que j'ai connus. Il était très très bon en public, que ce soit devant 200 ou deux personnes. Comme un comédien, un acteur ».

Vaillancourt en mène de plus en plus large et se rend essentiel au sein de l'administration municipale. Il gère et négocie d'importants dossiers économiques. Par exemple, en 1988, le conseiller travaille activement à la négociation d'un accord visant le dézonage de plus de 4000 hectares de terres à Laval, soit 40 % de la superficie qui était jusqu'alors réservée à l'agriculture. L'homme brille dans ses fonctions, mais rêve de plus en plus au poste de premier citoyen de la ville de Laval. Puis, en 1989, un coup du sort vient ouvrir tout grand les portes de la mairie à Gilles Vaillancourt.

UN CHEF CONTESTÉ

Claude Ulysse Lefebvre est malade depuis quelques mois déjà quand, en avril 1989, le politicien subit trois pontages coronariens. Le maire demeure ensuite absent pendant plusieurs semaines. Dès lors, d'intenses jeux de coulisses pour le remplacer s'activent dans les corridors de l'hôtel de ville. Avec plus de 16 années en politique à son actif, Gilles voit là une occasion en or. Ses ambitions sont bien connues en sein du PRO, mais l'homme n'est pas le plus populaire parmi ses collègues.

Selon Yves Gratton, tous au sein du parti savent depuis plusieurs mois que Lefebvre est malade et qu'il va bientôt se retirer. Mais personne ne pouvait prédire que sa succession allait être aussi tumultueuse. Il témoigne d'une rencontre houleuse du caucus du PRO en février 1989 : « Les membres se disaient qu'on allait avoir une rencontre pour procéder à l'élection du président du parti qui, par la suite, deviendrait maire par intérim. Ils voyaient ça sous la forme d'une course à la direction. Mais Lefebvre n'a pas cheminé là-dedans. Je n'ai jamais su pourquoi [...] Mais il a vraiment pistonné Vaillancourt à ce poste-là [...] Le caucus a été surpris. Il y en avait qui étaient très désappointés. Les gens auraient voulu avoir une vraie course à la chefferie », raconte-t-il. Des conseillers s'opposent. D'autres pleurent.

Pourquoi Lefebvre a-t-il imposé Vaillancourt à son parti ? Personne n'a pu fournir d'explications claires à ce sujet. En novembre 2012, *Le Devoir* révélait qu'un groupe de gens d'affaires aurait remis, en 1989, une bourse de 800 000 $ à Lefebvre lors d'une fête qui a lieu à Boca Raton, en Floride. Ce dernier termine alors son deuxième mandat avec, à ses côtés, un successeur potentiel aimé de l'establishment économique lavallois : Gilles Vaillancourt. Veut-on ainsi faire pression sur Lefebvre et favoriser un changement de garde à la mairie ? Si Lefebvre confirme au *Devoir* que la fête a bel et bien eu lieu, il nie en revanche avoir reçu la somme de 800 000 $. La lumière n'a jamais été faite sur cette affaire.

Chose certaine, Lefebvre ne démord pas de son choix, ce qui déplaît à une partie des membres du parti. En mai, le président et maire sortant fait une sortie publique pour tenter de calmer le jeu. « Les gens ont trop tendance à comparer Gilles Vaillancourt et moi. Qu'on lui fasse confiance et qu'on lui donne la chance [...] Gilles a toutes les qualités d'un bon *leader*. Il a la couenne dure. Il faut cesser le jeu des comparaisons », dit-il lors d'un point de presse rapporté par le *Courrier Laval*. Lefebvre souligne aussi que son poulain est « plus raffiné » qu'avant et qu'il « devient plus adroit ». Gilles s'attendait à un accueil plus chaleureux de la part du caucus du PRO des Lavallois, mais il s'accroche plus que jamais et mise sur le temps pour apaiser les esprits. Entre-temps, il multiplie les entretiens individuels et les entrevues aux médias pour se faire connaître et gagner la sympathie des membres de son parti.

Ce travail de tous les instants finit par porter ses fruits. Le 7 juin 1989, Gilles Vaillancourt devient officiellement le chef du PRO des Lavallois lors d'un congrès qui rallie plus de 3200 personnes au Centre des congrès de Laval. Dans un article paru le lendemain matin, un journaliste local, impressionné, compare l'événement aux grandes conventions politiques américaines. L'ambiance est survoltée et de nombreux partisans de Vaillancourt scandent son nom tout en brandissant des affiches à son effigie. Le nouveau chef discourt longuement et avec emphase. Il vante son attachement « profond » à la ville de Laval, ainsi qu'à son parti qui comporte plus de 10 000 membres. Vaillancourt parle aussi de la vision qu'il a pour le « Laval de l'an 2000 », une « ville moderne » où on offrira des « services universitaires » aux jeunes, avec un système de transport en commun rapide. Et surtout une ville sans hausse de taxes. Il promet aussi que jamais la population de Laval ne dépassera les 400 000 habitants afin de conserver un « patrimoine vert » sur la moitié du territoire. Cette première promesse officielle ne sera pas respectée.

Quelques jours plus tard, le politicien devient le cinquième maire de l'histoire de Laval, à la suite d'une nomination du conseil de ville. Ses frères et sœurs ainsi que sa mère assistent avec fierté à la consécration de l'aîné de la famille lors de la cérémonie d'assermentation. Si Gilles Vaillancourt a toutes les raisons de se réjouir de sa nouvelle position, une ombre persiste au tableau. Le nouveau maire doit composer avec un parti fragile, dont plusieurs membres sont frustrés de s'être fait imposer le choix de Claude Ulysse Lefebvre.

À peine a-t-il pris les rênes de la ville que Vaillancourt doit tourner son regard vers les élections à venir de novembre 1989. Il remanie rapidement le conseil exécutif, puis la campagne électorale démarre sur les chapeaux de roue.

Son adversaire dans cette course à la mairie est nul autre que Jean-Paul Théorêt, avec qui Gilles a mené le combat contre les péages sur les autoroutes, sept ans auparavant. Rapidement, son rival politique et chef du Parti pour le Renouveau de Laval dégaine en affirmant au journaliste Jean-Claude Grenier qu'il est faux de croire que Vaillancourt fait « l'unanimité » au sein de son parti et que plusieurs échevins refusent même de travailler avec lui.

Pendant les quelques mois qui précèdent l'élection, le nouveau maire est échaudé par une série de controverses. Le premier scandale est révélé par le quotidien *La Presse*, en pleine campagne électorale, en août 1989. On apprend que le chef du PRO habite une maison construite en zone inondable, près de l'île Paton, en contradiction avec les lois environnementales en vigueur. La résidence en question fait partie du développement immobilier Terrains Prestige inc. Son promoteur, Claude B. Thomas, a obtenu en 1985 l'autorisation de la Ville de Laval de construire en terrain inondable, malgré une interdiction du ministère de l'Environnement. À l'époque, Gilles Vaillancourt était président du comité exécutif de la Ville.

Deux ans plus tard, en 1987, ce dernier achetait sa résidence, située dans le développement immobilier, d'un constructeur qui ne l'a jamais habitée. L'opposition accuse le maire – qui a fondé le comité d'aménagement des berges et des rives de Laval dans les années 1970 – de s'être octroyé un « passe-droit ». Vaillancourt se défend vigoureusement et continue de faire campagne.

Puis, en octobre, c'est au tour d'un citoyen et professeur de Laval, Réal Plamondon, de s'en prendre au candidat le plus populaire de la course. Il dévoile qu'une compagnie dirigée par Vaillancourt, Les Placements Roussette ltée, a acquis en 1980 un terrain comportant une servitude de la Ville interdisant toute forme de construction. Or, en 1983, la Ville aurait renoncé à cette servitude, augmentant ainsi du même coup la valeur du terrain. Gilles siégeait au conseil municipal à l'époque. Pour le citoyen Réal Plamondon, ça en est trop. Il se tourne vers la Cour supérieure pour que Gilles Vaillancourt soit déclaré inhabile à siéger au conseil municipal. Un an plus tard, il se désiste toutefois de la poursuite.

Tout comme celle de la résidence en zone inondable, l'histoire finit par tomber dans l'oubli. La popularité de Gilles ne s'essouffle pas, et le 3 novembre, un sondage *CROP-La Presse-Télé-Métropole* le place largement en avance dans la course avec 52 % des intentions de vote. Ses rivaux Pierrette Roussin et Jean-Paul Théorêt cumulent respectivement 29 % et 20 % des intentions de vote. En entrevue avec *Le Journal de Montréal*, Vaillancourt se présente comme le candidat de l'expérience. « Ils peuvent bien dire ce qu'ils veulent. Mais j'ai toujours été un *leader*, même depuis l'époque où j'étais petit gars [...] Le défi, et c'est la seule façon d'assurer sa survie en politique, c'est de demeurer juste et équitable pour tout le monde. En fait, en politique, ce qui est dur, ce n'est pas d'y entrer, mais d'en sortir », confie-t-il.

Le jour du scrutin, le 5 novembre 1989, Gilles Vaillancourt vante sa « campagne d'idées » dans une entrevue au *Courrier Laval*. Il se flatte aussi d'être le premier politicien, selon lui, à avoir développé des programmes propres à chaque quartier de Laval. Il rejette toutefois du revers de la main une idée de sa rivale du Parti lavallois Pierrette Roussin, qui réclame la création d'une commission d'enquête indépendante sur la gestion des précédentes administrations. « Ça prend des motifs, des raisons pour mettre sur pied une telle commission. On ne peut se permettre de mettre sur pied des commissions bidon », justifie-t-il.

Quelques heures plus tard, Gilles Vaillancourt remporte ses élections et assied pour de bon son autorité à l'hôtel de ville de Laval. C'est un véritable raz-de-marée pour le PRO des Lavallois. Le maire obtient pratiquement le double des voix de son plus proche adversaire et détracteur Jean-Paul Théorêt avec 58 419 votes et le parti fait main basse sur 22 des 24 sièges du conseil municipal.

Les clés de l'hôtel de ville en poche pour au moins quatre ans, Gilles s'affaire désormais à mettre Laval à sa main. En 1990, moins de trois mois après son élection, la Ville se dote de son premier schéma d'aménagement et de planification de son territoire. Cet outil, qui sert notamment à planifier le développement de la ville, doit normalement être revu tous les cinq ans. Mais ce sera le seul qui sera en place tout au long de la vingtaine d'années que durera le règne de Vaillancourt. C'est Gilles qui aura le dernier mot sur tous les projets immobiliers et industriels qui seront présentés à la Ville. Le Monarque a bel et bien commencé son règne.

UNE FICHE PARFAITE

À partir de novembre 1989, Vaillancourt règne à la mairie de Laval pendant près d'un quart de siècle. Il met en place une véritable machine à gagner les élections.

Quatre ans plus tard, l'homme d'affaires et ex-organisateur politique Jean Rizzuto tente sa chance lors des élections face à Gilles Vaillancourt. Rizzuto, alors chef d'Option Laval, jouit d'une certaine notoriété. Il possède sa propre agence de voyages et préside le populaire Marché 440. Mais le frère du sénateur Pietro Rizzuto échoue de manière marquée en ne recueillant que 23 % des votes exprimés, contre plus de 60 % pour Vaillancourt. Le PRO fait encore mieux en ce qui concerne les conseillers municipaux, alors qu'un seul district lui échappe. Le candidat indépendant Maurice Clermont, qui avait hérité des restes du parti de l'ex-maire Lucien Paiement après la défection de Gilles Vaillancourt pour le PRO, fait figure de seule opposition alors qu'il est élu dans le district de Saint-Sylvain. « J'accepte le défi qui m'est proposé de siéger contre 23 conseillers de l'administration Vaillancourt. J'ai toujours dénoncé ce qui devait l'être et encouragé ce qui le méritait et ce n'est pas une majorité écrasante qui changera mon attitude », lance ce dernier au quotidien *La Presse* le soir du scrutin. Maurice Clermont tiendra le coup jusqu'aux élections suivantes, décrochant au passage la distinction d'avoir été le chef de l'opposition le plus durable de l'histoire de Laval, soit pendant 13 ans.

La bataille se resserre en 1997, alors que l'ingénieur Daniel Lefebvre, fils de l'ex-maire Claude Ulysse Lefebvre, tente de ravir la mairie. Il échoue, mais son résultat est tout de même plus honorable que ceux des autres politiciens qui ont tenté d'affronter Vaillancourt lors de la dernière décennie. Sa formation ÉLAN réussit à faire élire trois représentants à des postes de conseillers municipaux.

Toujours en 1997, Jean Rizzuto se retire un peu avant la campagne électorale lorsqu'il constate qu'il ne peut mener son parti à la victoire. L'architecte Marie-Josée Bonin prend alors les rênes d'Option Laval et réussit à tirer son épingle du jeu le soir du scrutin. Sa formation remporte deux districts.

Vaillancourt a eu chaud même s'il récolte 41 % des votes. Sa formation passe de 23 à 16 conseillers, dans une carte électorale remaniée qui ne compte plus que 21 districts. « C'est la première fois depuis 12 ans qu'autant de membres de l'opposition sont élus à l'hôtel de ville de Laval », fait remarquer le quotidien *La Presse*, dès le lendemain. La performance des troupes de Vaillancourt est tout de même suffisante pour former une confortable majorité au conseil municipal. C'est aussi la première fois dans la jeune histoire de la ville qu'un maire obtient un troisième mandat consécutif.

Machine dominante dans les années 1980 et 1990, le PRO des Lavallois atteindra un statut hégémonique dans les années 2000. Lors de l'élection de 2001, Daniel Lefebvre revient à la charge en se présentant à la mairie contre Vaillancourt, mais cette fois, il se fait battre à plate couture. Vaillancourt a fait campagne en promettant d'envoyer d'ici la fin de l'année un chèque de 60 $ à tous les propriétaires fonciers lavallois. La stratégie fonctionne à merveille. Le maire sortant obtient 57 % des voix exprimées, et réussit surtout un incroyable balayage de la carte électorale lavalloise. Les 21 conseillers élus sont membres de sa formation politique. « Cette fois, personne ne doutera de ma légitimité [...] Personne ne pourra dire que je suis élu sur la division des votes. C'était de toute façon faux. J'ai dû vivre pendant quatre ans avec cette distorsion-là », lance un Vaillancourt revanchard, cité dans *Le Journal de Montréal* au lendemain de son écrasante victoire.

À partir de là, tout va rondement. En 2005, les trois quarts des Lavallois qui se rendent aux urnes inscrivent leur X à côté du nom de Gilles Vaillancourt. Du jamais-vu. Vaillancourt n'a aucun adversaire crédible et la course à la mairie semble plutôt être une mauvaise blague. Sa plus sérieuse rivale, Audrey Boisvert, est une étudiante de 18 ans. Comment cette jeune femme, qui a tout juste l'âge requis pour pouvoir être candidate, peut-elle rivaliser avec un maire dont la campagne est financée illégalement à coup de centaines de milliers de dollars par les plus importants entrepreneurs et les plus importantes firmes de génie-conseil de Laval ? Mme Boisvert propose une candidature bien sympathique, mais elle n'est pas de taille et décroche à peine 16 % des suffrages. Les 21 candidats du PRO se font tous élire, renouvelant pour la plupart leur mandat sans inquiétude. Neuf conseillers du PRO sont même élus par acclamation, personne ne s'étant présenté contre eux.

Aux yeux des électeurs, il n'y a aucun enjeu : le taux de participation est anémique et parvient à peine à dépasser la barre des 30 %, alors qu'il était d'environ 50 % lors des deux scrutins précédents. Étrangement, le maire semble presque gêné d'une pareille performance. Dans une entrevue qu'il accorde au début de l'année suivante à la publication spécialisée *Source. Le magazine de l'eau au Québec*, il assure avoir abordé l'élection avec beaucoup de sérieux. « J'avais tout de même quatre ou cinq adversaires. Je n'ai jamais cru que je serais élu par acclamation, et c'est ce que je disais à tout le monde autour de moi [...] J'ai fait campagne de la même façon que si j'avais eu une opposition plus aguerrie. J'ai fait cinq mois de porte-à-porte aux quatre coins de la ville, dans chacun des quartiers, afin de rencontrer le plus de monde possible et pour constater l'évolution de la population. »

Le scénario se répète en 2009.

Même si les premiers soupçons de corruption et de financement illégal flottent dans l'air depuis quelques mois, la machine du PRO est tellement bien rodée qu'elle l'emporte sans discussion. Les centaines de milliers de dollars blanchis grâce aux prête-noms permettent au PRO de faire « sortir le vote » avec efficacité : Gilles Vaillancourt récolte plus de 60 % des voix et, encore une fois, ses 21 candidats l'emportent dans leurs districts respectifs. Pour expliquer son triomphe, Vaillancourt met de l'avant les qualités de ses candidats, plutôt que sa caisse électorale pleine de fric. « J'ai présenté une bonne équipe, la meilleure équipe, composée de onze hommes (incluant lui-même) et de onze femmes, des gens compétents et la population a décidé, elle a décidé », déclare-t-il. N'ayant fait élire aucun conseiller de leurs formations respectives, les chefs des deux principaux partis d'opposition, Lydia Aboulian et Robert Bordeleau, devront attendre en file avec les autres citoyens lors de la période de questions mensuelle du conseil municipal pour pouvoir questionner l'administration Vaillancourt.

Si indiscutable soit-elle, cette victoire du PRO des Lavallois sera pourtant la dernière pour ce parti politique. Les scandales de corruption et de collusion mis au jour lors des trois années suivantes auront raison du maire et de son vaisseau amiral. Le PRO coule définitivement à la fin 2012, peu de temps après la démission de son chef. Lors d'une réunion de 45 minutes le 19 novembre 2012, les 20 élus municipaux restants, tous porte-couleurs de la formation, votent à l'unanimité pour dissoudre leur organisation et retirer son accréditation auprès du Directeur général des élections du Québec. Le parti remet également au DGEQ la somme d'un million de dollars, qui restait dans ses coffres.

4

UNE ORGANISATION POLITIQUE PUISSANTE

Comment son parti, le PRO des Lavallois, est-il devenu une puissante organisation politique qui gagne ses élections à tout coup ? La recette part d'abord de l'intérieur du parti, où Vaillancourt exerce un contrôle parfait sur les autres élus. Puis, le maire charmera les électeurs en gardant les taxes basses, tout en ouvrant la porte au développement économique et à une multitude de grands projets. De quoi donner au parti l'image d'une formation gagnante, qui travaille fort pour les citoyens.

UN ROI ET SES 21 FIGURANTS

Dès le départ, Gilles Vaillancourt s'assure d'être le seul à tirer les ficelles à l'hôtel de ville. Le maire est bien entouré de quelques consultants de confiance, mais c'est lui qui prend toutes les décisions.

D'un côté, seuls quelques bonzes du parti, comme l'agent officiel Jean Bertrand, connaissent l'ensemble des rouages du PRO et en orchestrent réellement les actions. De l'autre, les 21 conseillers élus du parti font plutôt figure d'accessoires auprès de Gilles Vaillancourt. Ils ont l'air de figurants qui exécutent les ordres de leur chef, sans discuter. Très rarement verra-t-on un conseiller remettre en question une décision du maire. Vaillancourt ne tolère aucune forme de dissidence. Cette façon de fonctionner a bien provoqué quelques flammèches au sein du parti à l'arrivée de Vaillancourt à la mairie. Mais le « maire à vie » a eu l'intelligence de ne pas prendre de front les récalcitrants. Lentement mais sûrement, il développe avec le temps une recette efficace pour obtenir une loyauté et une obéissance sans faille de la part de ses conseillers. Ainsi, le Monarque règne seul.

Chaque nouveau venu dans l'équipe est soigneusement choisi par Vaillancourt, qui cherche des personnes au caractère malléable plutôt qu'aux qualités morales ou intellectuelles. Puisque le PRO des Lavallois ne fera jamais face à une opposition solide, Gilles Vaillancourt a le loisir de choisir des conseillers en fonction de ses goûts plutôt que de ceux de son électorat. Le journaliste du *Courrier Laval* Jean-Claude Grenier explique que cette manière de faire relevait du secret de Polichinelle à l'époque, à Laval. « On le savait. Les conseillers étaient des marionnettes, des *yes men*. Autant Gilles Vaillancourt aimait s'entourer de gens forts du milieu des affaires pour être *challengé* constamment, autant il n'aimait pas avoir des politiciens d'expérience comme conseillers. Il allait chercher des gens populaires dans leur quartier et qui seraient fiers d'avoir un petit poste d'échevin, point à la ligne. »

Plus tard, le maire avouera lui-même le peu d'estime qu'il porte à la fonction de conseiller. En octobre 2013, Vaillancourt offre son aide à son ancienne conseillère, maintenant candidate à la mairie, Claire Le Bel. Il se présente dans les locaux de l'organisme communautaire où elle travaille, L'Entraide Pont-Viau et Laval-des-Rapides. Méfiant, l'entourage de Mme Le Bel a fait enregistrer la conversation dans laquelle on peut entendre Vaillancourt dire : « Tu ne peux pas avoir 21 prix Nobel au conseil [municipal]. Tu vas passer le temps à mesurer les idées, pis tu n'avanceras jamais. »

Claire Le Bel elle-même ne se fait pas d'illusions sur les raisons qui ont poussé le PRO des Lavallois à la recruter comme candidate au scrutin de 2009. À l'époque, le maire Vaillancourt se fait souvent reprocher par ses adversaires politiques de « nier l'existence de la pauvreté » à Laval. L'année précédant l'élection, le chef du parti Au service des citoyens, Robert Bordeleau, reproche à l'administration Vaillancourt de ne pas s'occuper assez des sans-abris, alors que la pauvreté est un « dossier important » qui « touche 21 % de la population ». Selon Claire Le Bel, le parti du maire se serait tourné vers elle uniquement pour faire taire les mauvaises langues. « [Gilles Vaillancourt] a dû se dire que ça prenait une femme pour l'élection. Une femme qui est dans le communautaire, qui est travailleuse sociale et qui connaît donc la pauvreté. J'imagine qu'il y avait quelque chose de cet ordre-là [dans le choix de l'approcher pour être candidate]. Une femme, ce n'est pas trop menaçant non plus », analyse-t-elle.

Mis à part l'obéissance et la popularité locale, un seul autre critère prime dans le choix des conseillers du PRO des Lavallois : leurs relations politiques. Vaillancourt s'arrange toujours pour que son équipe de conseillers reflète un large spectre politique.

Même s'il est lui-même d'allégeance libérale, le maire aime bien avoir des indépendantistes bien vus par le Parti québécois au sein du PRO. Cela peut être utile selon qui est au pouvoir, comme l'explique l'ancien ministre Serge Ménard, qui a aussi été député dans Laval-des-Rapides de 1993 à 2003. « Il s'arrangeait pour avoir un large éventail politique, provincial et fédéral, dans le choix de ses candidats pour être conseiller. Ça faisait partie de ses habiletés. Tous ses conseillers municipaux étaient attachés à lui parce qu'il les faisait réélire. J'en ai connu qui auraient été incapables de se faire élire tout seul [...] Ils lui étaient tous redevables comme conseiller municipal. »

UNE POSITION ENVIABLE

En soi, le poste d'échevin lavallois est loin d'être dépourvu d'avantages. On bénéficie d'une certaine popularité sur la scène locale et d'un salaire intéressant. L'adversaire politique de Vaillancourt et ex-candidat à la mairie, Daniel Lefebvre, résume brutalement la fonction de conseiller : « C'est 15 à 20 réunions par année où il faut se présenter pour aller dire oui. Tu te promènes dans tous les soupers intéressants et, de temps en temps, tu as une petite mission économique à l'extérieur. C'est gagner à la loterie ça ! »

Selon les données fournies par la Ville de Laval, les élus municipaux touchaient un salaire annuel allant de 27 000 $ à 116 000 $ selon leurs responsabilités en 2008, en sus d'une allocation de dépenses d'environ 14 000 $. En plus, Vaillancourt ne lésine pas sur les activités pour gâter ses conseillers et ainsi acheter leur collaboration.

Claire Le Bel, qui a été conseillère de 2009 à 2012, se souvient des grandes messes du PRO où le leadership de Vaillancourt était célébré et où on martelait aux conseillers la chance qu'ils avaient d'œuvrer au sein d'un tel parti. « C'était gigantesque ! Tu avais un buffet à volonté. Quand Vaillancourt arrivait, [on partait] la grosse musique et tout le monde était debout. » Mme Le Bel se souvient plus particulièrement d'un congrès du parti qui a eu lieu à l'hôtel Sheraton, près du Carrefour Laval, en 2010. Le comédien Marcel Leboeuf était présent pour donner une conférence. « C'est lui qui avait été invité pour nous dire pendant quatre heures comment étaient merveilleux les gens de Laval, l'administration de Laval, etc. Comme une espèce de motivateur, là [...] Tout le monde était heureux d'avoir bien mangé et de s'être rentré dans la tête à quel point l'administration était merveilleuse. C'était vraiment du lavage de cerveau. J'en étais étourdie. » Selon l'ex-conseillère, ce genre d'événement n'a qu'un seul but : s'assurer de la docilité des troupes de Vaillancourt. Et gare à celui qui n'entre pas dans les rangs.

En effet, les quelques conseillers du PRO qui osent remettre en question l'ordre établi en subissent les conséquences. Ils servent d'exemple au reste des troupes. Ils sont mis à l'écart et n'accèdent jamais aux différents comités de la Ville, où l'obtention d'un poste assure un revenu supplémentaire.

Jean-Jacques Lapierre, qui dit avoir été un opposant à Vaillancourt au sein du parti PRO, affirme qu'il en a payé le prix politiquement à la fin des années 1990 et au début des années 2000. « Il y avait peu de conseillers qui étaient vraiment indépendants, qui ne devaient rien au maire. On n'avait pas une *cent,* pas de promotion ; on n'avait rien. Les quelque petites affaires que j'ai eues, c'est parce que Vaillancourt n'a pas eu le choix [...] Tout ce que j'avais, je l'obtenais par les fonctionnaires. J'étais un de ceux qui faisaient les choses dans le dos du maire, en catimini. Et les fonctionnaires étaient contents de défier le maire. »

Claire Le Bel abonde dans le même sens. Elle affirme avoir subi les répercussions de certaines de ses questions qui déplaisaient au maire. Selon elle, la démocratie était carrément absente de certains comités auxquels siègeaient les conseillers. Elle donne l'exemple du comité consultatif d'urbanisme auquel elle a participé pendant quelques mois après son arrivée à la Ville en 2009. Lors d'une réunion, elle avait demandé le vote sur un dossier, puisqu'elle n'était pas d'accord avec la décision prise par le comité. « Un autre conseiller s'enligne vers moi et me dit : "Qu'est-ce que tu as fait là, Claire ? Il n'y a jamais de votes ici." » Peu de temps après, soutient-elle, on lui fait rencontrer des gens haut placés dans le parti qui lui expliquent comment les « choses se passent » à la Ville.

Pour Mme Le Bel, il est clair que le maire Vaillancourt encourageait des manœuvres d'intimidation auprès de ses conseillers. À la même époque, le frère de Claire, Harold Le Bel, lui conseille à de nombreuses reprises de quitter la formation de Vaillancourt. Alors directeur de cabinet pour l'opposition officielle à l'Assemblée nationale, M. Le Bel sera élu député péquiste en 2014. « Harold me demandait ce qui se passait à Laval, pis je ne le savais pas. Je lui demandais de m'en dire plus, mais il ne pouvait rien me dire non plus. Il me disait juste de m'en aller de là. »

Enfin, quand Vaillancourt ne parvient pas à obtenir la « collaboration » d'un conseiller par la coercition, il lui reste toujours la possibilité de l'acheter. C'est du moins ce que soutient avoir vécu Yves Gratton, qui a été conseiller du PRO pendant une dizaine d'années avant de claquer la porte pour fonder son propre parti en 1995. Il affirme que lors d'un séjour en Floride à l'hiver 1992, le maire Vaillancourt l'appelle pour lui offrir la présidence de la Société de transport de Laval. Gratton demande alors conseil à un ami avocat. « Il m'a répondu que si je faisais ça, il faudrait que je marche de la façon que Vaillancourt fonctionne. Que le maire recevait des redevances sur des achats d'équipements [à la Ville] [...] C'est sûr que s'il m'accrochait là, moi j'étais fait. Ça ne m'intéressait pas. »

La complaisance des conseillers du PRO des Lavallois à l'égard de leur chef a été soulignée à maintes reprises dans les médias au cours des dernières années. Si certains ont reconnu, des années plus tard, avoir servi de prête-noms pour le PRO lors des audiences de la commission Charbonneau, très peu pourtant ont dénoncé ou mis en doute les décisions de Vaillancourt pendant les 23 années de son règne.

Lors des caucus, le Monarque siège, souverain, au bout de la longue table, entouré de ses échevins. On y annonce les décisions davantage qu'on y consulte les conseillers, affirme l'ancien conseiller du PRO dans Concorde / Bois-de-Boulogne, Jean-Jacques Lapierre. « Souvent, le vice-président du comité exécutif André Boileau prenait la parole en commençant et nous disait les choses qui s'en venaient, les nouvelles propositions qu'il y avait, etc. Il nous faisait un petit état de la situation de la ville [...] Personne n'osait trop parler. Il y avait seulement trois ou quatre conseillers qui posaient des questions. Moi, j'étais de ceux-là et le maire n'aimait pas *ben ben* ça [...] On avait nos trucs. Je m'arrangeais pour prendre la parole en premier, pour influencer les autres. »

Pour Claire Le Bel, il serait exagéré de dire que l'équipe du PRO devait se limiter à un rôle de « figuration ». Cependant, celle-ci précise du même souffle que seul le maire « *call les shots* » lorsque vient le temps de prendre des décisions. Les conseillers s'expriment pour la forme, mais tous savent très bien que c'est le maire qui mène le bal.

Ainsi, Vaillancourt parvient-il à manipuler, contrôler, rejeter ou acheter ceux en poste à ses côtés tout au long de ses années au pouvoir. Ils sont indispensables pour leur vote au conseil exécutif ou au caucus, mais ignorés par un maire qui gère sa barque en solitaire.

LA FIN JUSTIFIE LES MOYENS

Le PRO des Lavallois trouve aussi le moyen de garnir son butin et la liste des citoyens membres de son parti grâce à des remboursements discutables qui proviennent des fonds publics.

Selon ce que prévoit la loi provinciale, la Ville met à la disposition des cabinets politiques des budgets de recherche et de secrétariat. Les partis peuvent ainsi présenter des demandes de remboursement. En principe, ces fonds publics ainsi octroyés sont censés permettre aux élus de mieux accomplir leur rôle auprès des citoyens. Mais à Laval, ils sont souvent utilisés pour rembourser des dépenses qui ont tout à voir avec des activités purement politiques, et très peu avec la mission des conseillers municipaux qui est de représenter et de répondre aux questions des contribuables. Par exemple, en 2011, *Le Journal de Montréal* révèle que le PRO a demandé le remboursement de factures totalisant 1515 $ pour l'achat de deux déchiqueteuses et le service de déchiquetage de 75 boîtes de documents en 2009 et 2010.

Vaillancourt trouve même le moyen d'utiliser 9100 $ de fonds publics afin de se remercier lui-même de son travail dans le prolongement de la ligne de métro à Laval, achevé en 2007. Il demande le remboursement de l'achat de publicités dans deux journaux hebdomadaires locaux, chapeautées du titre : « Merci, monsieur le maire ! Thanks, Mr. Mayor ! », apprend-on dans *Le Journal de Montréal*. « La publicité achetée dans le *Courrier Laval* et dans *Chomedy News* montre des photos d'un maire Vaillancourt rayonnant, conduisant une voiture du métro vers l'une des nouvelles stations de Laval », poursuit le quotidien. Comment de telles dépenses peuvent-elles être admissibles à un remboursement à même les fonds publics ? En fait, le Monarque n'a que lui-même à convaincre : en tant que chef du parti, Gilles

Vaillancourt signe les demandes de remboursement... qu'il autorise ensuite à titre de président du comité exécutif de la Ville de Laval.

La formation de Gilles Vaillancourt se fait aussi rembourser à même les deniers publics les coûts de sa grand-messe annuelle : la sortie à la cabane à sucre. Au total, 82 000 $ y passent entre 2007 et 2011, notamment pour la location d'autobus afin de transporter les sympathisants du PRO à Saint-Eustache, dans les Basses-Laurentides.

Ces fameuses sorties à la cabane à sucre permettent en plus au PRO de faire le plein de membres grâce à un stratagème que l'ex-élue du PRO, Claire Le Bel, considère comme étant « complètement immoral ». Les participants, se souvient-elle, sont surtout des personnes âgées. Des autobus nolisés par le parti vont les chercher directement à leur résidence pour les amener à Saint-Eustache. « Embarquez, vous allez danser avec monsieur le maire, peut-être », décrit Claire Le Bel à propos de ces événements. Dès l'embarquement, on demande aux résidents de signer une carte de membre. « Quand vous entrez dans l'autobus, il faut signer, et tu deviens membre [...] Tous ces gens-là, ils ont payé, mettons, les 4 $ pour être membre, mais en fait ça leur permet d'aller prendre un repas à la cabane à sucre d'une valeur d'à peu près 12 $. Donc tout le monde considère qu'ils font un bon coup, mais ils deviennent membres d'un parti [...] C'est effrayant, mais personne ne questionnait ça », décrit Claire Le Bel.

Ainsi, Gilles Vaillancourt ne lésine sur aucun moyen pour s'assurer de dominer l'échiquier politique à Laval, tant à l'intérieur de son propre parti que pour lui assurer des avantages discutables sur les autres formations. Mais le Monarque sait aussi que l'opinion publique compte pour beaucoup et qu'il lui faudra plus que des visites à la cabane à sucre pour faire le plein d'électeurs.

D'ailleurs, il ne lésinera pas sur les moyens pour y parvenir.

5

DE GRANDS PROJETS

Si le PRO des Lavallois se maintient si longtemps au pouvoir, c'est parce que Gilles Vaillancourt sait comment plaire à la population. Sa stratégie consiste à miser sur une ou deux mesures très populaires et à marteler constamment ses faits d'armes pour bien se faire voir par son électorat. Cette recette étonnamment simple fonctionne à merveille.

Ainsi, Gilles Vaillancourt œuvre tout au long de sa carrière à garder les taxes au niveau le plus bas possible. Il en fait une véritable obsession : elles ne doivent augmenter sous aucun prétexte. Ou alors si peu et pas plus que l'inflation. Avant même d'être élu maire, alors qu'il s'apprête à briguer le poste de chef du PRO des Lavallois, Vaillancourt prône déjà dans une entrevue au *Journal de Montréal* « une gestion rigoureuse des fonds publics qui respecte la capacité de payer des contribuables ». Ce concept en vogue demeurera étroitement associé à Vaillancourt tout au long de sa carrière : voter pour « Gilles », c'est éviter une potentielle augmentation faramineuse des taxes foncières.

En contrepartie, le maire s'assure de procurer de bons revenus à la ville de Laval en ouvrant toute grande la porte au développement immobilier et donc à de nouveaux payeurs de taxes
qui s'installent sur l'île Jésus.

LE DÉVELOPPEMENT FULGURANT DE LAVAL

Pour bien des Lavallois, les longues années du PRO au pouvoir
symbolisent l'entrée de l'île Jésus dans la modernité. C'est probablement là l'une des plus grandes réussites de Gilles Vaillancourt,
qui saura imposer sa vision du développement de Laval, pour
le meilleur comme pour le pire. D'une vaste étendue de terres
agricoles, la ville se transforme en quelques décennies en une
banlieue comportant son propre centre-ville, une université et
même trois stations de métro.

Si tous les projets associés à Gilles Vaillancourt ne remportent
pas le même succès auprès des citoyens, ils contribuent toutefois
à l'aura de succès entourant le PRO des Lavallois, considéré par
plusieurs comme l'unique formation politique susceptible de faire
bouger les choses sur l'île. Dans les années 1990 et 2000, la vitalité
économique de la troisième plus grande ville du Québec impressionne le reste de la province. Grâce en partie à ce bilan positif,
c'est la réélection assurée année après année pour le parti au
pouvoir. Personne n'ose mettre son nez dans les affaires d'une ville
aussi florissante, ce qui, évidemment, fait bien l'affaire du maire.

Pendant des décennies et bien avant qu'elle ne devienne Laval,
l'île Jésus, comme on l'appelle alors, a une vocation essentiellement agricole. La production maraîchère y est reine et permet de
garnir les étagères de bien des épiceries montréalaises. Jusque
dans les années 1950, la population lavalloise, composée essentiellement de fermiers et de petits producteurs, stagne sous le
seuil des 40 000 habitants.

La fin de la Seconde Guerre mondiale et les années 1960 marquent le début du développement de Laval, qui se manifeste par un certain boom immobilier et un accroissement de sa population. Lorsque les 14 municipalités de l'île Jésus fusionnent en 1965 pour créer la ville de Laval, on compte un peu moins de 200 000 âmes sur le territoire.

Au fil du temps, la nouvelle municipalité se transforme peu à peu en ville-dortoir, plus ou moins aisée selon le quartier. Les familles peuvent y acheter une maison à un prix raisonnable, avec un joli terrain, tout en restant à proximité du travail et des loisirs, c'est-à-dire de Montréal. À l'époque, Laval comporte bien peu d'attraits ; c'est dans la métropole que les Lavallois travaillent, sortent et se divertissent.

Lorsque Gilles Vaillancourt entre dans l'arène politique dans les années 1970, il ambitionne de changer cette perception. Il déteste voir sa ville qualifiée de « dortoir » et rêve d'en faire un pôle économique d'importance. S'il a peu d'expérience politique, le jeune conseiller a toutefois du flair et des aspirations : les grandes lignes de sa stratégie de développement économique de Laval sont déjà claires dans sa tête.

En 1989, lorsqu'il devient chef du PRO des Lavallois, Gilles Vaillancourt s'engage publiquement à faire de Laval une « ville moderne », soulignant que l'une des quatre priorités de son parti est un « aménagement du territoire qui favorise le capital humain et le capital économique ». Vaillancourt rêve déjà d'offrir des services universitaires aux jeunes Lavallois ainsi que plusieurs autres avantages que l'on retrouve habituellement dans les grandes villes.

Quelques semaines plus tard, en campagne électorale, il s'engage pour la création d'un centre de la nature, d'un hôpital dans l'ouest de l'île ainsi que d'un métro « qui véhiculera les Lavallois d'ici 5 ans ». « Notre ville est devenue suffisamment importante pour que le gouvernement du Québec paie à 100 % aux Lavallois un système de transport rapide », lance-t-il aux militants du PRO lors d'un congrès.

Le maire de Laval refuse par ailleurs de s'en laisser imposer par sa puissante voisine, Montréal. Il n'aura de cesse de chercher à positionner sa ville comme un joueur aussi important que la métropole à l'échelle du Québec. Après une sortie du maire montréalais Jean Doré sur le fléau de l'étalement urbain en 1992, Gilles Vaillancourt lui réplique du tac au tac dans une entrevue accordée au *Journal de Montréal*. « Nous croyons, ici, que Laval joue un rôle de collaborateur de premier plan dans le développement économique du Grand Montréal et ce n'est pas demain que je vais demander aux citoyens de Laval de contribuer aux difficultés de Montréal », dit celui qui qualifie Laval de « ville-centre » qui réclame « autant d'attention des autorités gouvernementales » que Montréal.

LE DÉVELOPPEMENT URBAIN POUR MOUSSER SA POPULARITÉ

L'objectif de Gilles Vaillancourt : développer sa ville. En 1992, moins de trois ans après avoir été élu pour une première fois à la tête de Laval, il se targue déjà dans les médias d'avoir plusieurs réalisations économiques d'importance à son actif, comme la création d'une société de capital de risque et d'un guichet intégré de services financiers pour les PME de la ville. Il vante aussi l'ajout de 2300 unités d'habitation alors que le Québec est en pleine récession économique.

En octobre 2000, alors que l'on célèbre les 35 ans de Laval, le maire se paie une page complète de publicité dans *Le Journal de Montréal* où il promet que le « meilleur est devant nous ».

« Ville de Laval est résolument tournée vers l'avenir. Songeons seulement au Parc scientifique et de haute technologie qui connaît un développement extraordinaire. Laval est d'ailleurs la capitale de la biotechnologie au Québec », vante-t-il. Laval comporte alors plus de 100 écoles, 9 arénas, 124 terrains de jeu, 600 plateaux sportifs, 10 bibliothèques, 7 parcs, plus de 130 km de piste cyclable, etc. Selon Vaillancourt, Laval se démarque et est largement en avance sur ses voisins de la couronne nord.

Les chiffres semblent lui donner raison. Au cours des années 1990 et 2000, Laval connaît un développement fulgurant. De 284 164 habitants en 1986, la population grimpe à plus de 343 000 Lavallois au milieu des années 1990 pour ensuite dépasser le plateau des 400 000 citoyens en 2011. En 1996, vers la fin du deuxième mandat de Gilles Vaillancourt à la mairie, Laval est l'une des villes les plus dynamiques du Québec au point de vue économique. Selon les chiffres publiés dans l'étude « Technopoles et trajectoires stratégiques : le cas de la ville de Laval (Québec) », publiée en 1999, le taux de chômage des Lavallois est de 10,4 % en 1996, soit un point de pourcentage de moins que la moyenne québécoise. Depuis les années 1970, le taux de croissance annuel de la population est le double de celui de la province. « Enfin, le revenu total par habitant atteignait 18 700 $, ce qui représente le niveau de vie le plus élevé au Québec », peut-on lire dans l'étude.

À cette époque, si encore 30 % de la surface de l'île est toujours consacrée à l'agriculture, d'autres secteurs d'activités économiques (construction, technologie, commerce de détail, etc.) sont tout de même florissants.

La situation évolue aussi favorablement sur le plan immobilier. De fait, le début des années 2000 marque une hausse du nombre de permis remis par la Ville pour le développement d'immeubles résidentiels. À partir de 2002, plus de 2000 permis de construction seront délivrés chaque année.

La même vigueur est remarquée du côté industriel et commercial. Au tournant du millénaire, Laval atteint un record sur le plan du développement industriel, avec 35 projets d'implantation pour un total de 133 745 600 $ d'investissement, du jamais-vu dans l'histoire de la Ville. Mais au-delà de tous ces indicateurs positifs, ce sont surtout les grands projets survenus sous Vaillancourt qui ont marqué les électeurs. Même s'ils ne portent pas tous la signature du maire, ils ont été développés alors que le Monarque était au pouvoir et sont sans aucun doute associés à lui. C'est ce qui fait en sorte qu'encore aujourd'hui, plusieurs Lavallois éliraient à nouveau sans hésitation Gilles Vaillancourt à la tête de leur ville.

LES GRANDES RÉALISATIONS SOUS VAILLANCOURT

De grands projets voient le jour sous le règne du Monarque. Certains façonneront durablement le paysage de Laval alors que d'autres seront plutôt source de discorde. La plupart sont minutieusement planifiés par Vaillancourt, qui ne manque pas de le rappeler aux citoyens lorsqu'il est temps pour eux de se rendre aux urnes.

Le maire Vaillancourt suscite bien des éloges lorsqu'il réussit à attirer le camp spatial (maintenant connu comme le Cosmodôme) à Laval, au détriment de Montréal. Mais le dossier devient rapidement une épine dans le pied du maire lorsque se multiplient les scandales dès sa construction en 1993.

Dans un premier temps, en août, *La Presse* dévoile que des employés du conseil d'administration du camp spatial de Laval affirment que l'administration Vaillancourt cherche à s'interposer dans le projet « dans le seul but de gonfler les coûts et d'injecter de l'argent dans la caisse électorale » du PRO des Lavallois. Quelques semaines plus tard, *Le Devoir* révèle que trois ingénieurs lavallois proches du pouvoir, Robert N. Cloutier (MLC Polytech), Jean-Pierre Sauriol (Groupe Dessau) et Claude-F. Lefebvre (Gendron Lefebvre), sont impliqués dans des transactions financières d'une valeur de 1,7 million $ avec le camp spatial. Ils auraient obtenu ensuite les principaux contrats d'ingénierie en lien avec le projet, sans appel d'offres. En effet, le cabinet du maire aurait recommandé qu'on fasse appel à eux, selon *Le Devoir*.

En 1995, la situation financière du camp spatial est si précaire que la Ville doit lui verser 100 000 $ pour l'aider à régler ses comptes et payer les salaires de ses employés. La dette et la situation financière du Cosmodôme ne cesseront de s'aggraver au fil des mois. Le maire multipliera les plans de sauvetage, bien décidé à garder le Cosmodôme, coûte que coûte, malgré le gouffre financier qu'il représente pour la Ville.

* * *

Toujours en 1995, Laval change sa stratégie de développement économique pour mettre de l'avant la haute technologie. Sous l'impulsion de Gilles Vaillancourt, c'est la création de Laval Technopole qui vient remplacer la Corporation de développement économique de Laval (présidé d'ailleurs par Vaillancourt dans les années 1980).

Pendant plusieurs années, Laval Technopole jouera un rôle de premier plan dans le développement de l'économie lavalloise. En 2000, dans un article du quotidien *La Presse*, on indique que depuis sa création, il a « contribué à l'implantation de 240 nouvelles entreprises dans l'île Jésus, alors que les gens d'affaires déjà installés à Laval ont généré 1387 projets d'expansion ». On attribue aussi à l'organisme l'arrivée de compagnies importantes à Laval comme Couche-Tard. C'est là une grande source de fierté pour le maire Vaillancourt.

Néanmoins, en 2014, un rapport de l'Institut sur la gouvernance des organisations privées et publiques (IGOPP) sur la gestion des organismes lavallois viendra sceller le sort de Laval Technopole.

L'IGOPP note qu'il y a « confusion des genres entre le soutien et l'accompagnement d'une part, le financement d'autre part » des entreprises qui font affaire avec Laval Technopole. C'est toute la pertinence de cette entité qui est remise en question par l'IGOPP. L'institut recommande de rapatrier cette structure au sein de l'administration municipale, ce que fera en quelques mois le nouveau maire Demers en 2013.

* * *

De tous les rêves de Vaillancourt pour Laval, le prolongement du métro est sans doute le plus emblématique. Après tout, le maire commencera à en parler dès son arrivée à l'hôtel de ville en 1989. C'est pratiquement 10 ans plus tard, en 1998, que le gouvernement du Québec donnera finalement son feu vert au projet qui devait initialement coûter 179 millions $ et être inauguré en 2004. Trois nouvelles stations de métro seront créées sur le territoire lavallois : Cartier, De la Concorde et Montmorency.

Les choses ne se déroulent toutefois pas aussi rondement que prévu. Rapidement, le coût des travaux explose et atteint le montant substantiel de 803 millions $. Le mécontentement gronde et de curieuses histoires se mettent à circuler. Par exemple, en février 2007, on peut lire dans *La Presse* que des terrains qui se trouvent à proximité de la station Montmorency font l'objet de transactions importantes. L'avocat de la famille Vaillancourt, Robert Talbot, et un promoteur immobilier nommé Raymond Lessard réalisent un profit de près de 9 millions $ en deux ans après avoir acheté et revendu un terrain situé près du métro. Selon *La Presse*, la Ville a même renoncé à des projets d'aménagement désavantageux pour la valeur du terrain après que celui-ci eut été acheté par Talbot et Lessard. L'histoire fait beaucoup jaser à Laval et suscite des questions.

Les nouvelles stations de métro sont finalement inaugurées en avril 2007. Cela ne contente toutefois pas le maire de Laval qui, quelques mois plus tard, annonce son intention de réclamer 1 milliard $ sur 10 ans à Québec pour prolonger le métro sur son territoire. Ce projet n'ira pas plus loin.

* * *

Pièce maîtresse de ce qui est considéré comme étant le centre-ville de Laval, le Centropolis est un complexe récréotouristique créé dans la foulée du prolongement du métro à Laval. En 2000, le projet du promoteur Ivanhoé Cambridge, filiale immobilière de la Caisse de dépôt et placement du Québec, ne comporte que le cinéma Colossus, dont la forme particulière fait beaucoup jaser les automobilistes qui circulent à sa hauteur sur l'autoroute 15.

L'année suivante, le promoteur annonce des investissements de 20 millions $. En 2003, le Centropolis comporte déjà plusieurs magasins répartis sur une surface de plus de 380 000 pi^2 et le complexe ne cesse de prendre de l'ampleur au fil des ans. En 2012, on recense plus d'une vingtaine de restaurants et une quarantaine de commerces sur le site où travaillent 1600 personnes. Bien que le projet ne soit pas directement lié à la Ville, il sera associé dans l'esprit de bien des gens à l'essor économique qu'a connu Laval sous Vaillancourt.

* * *

Depuis la fin des années 1980, nombre de citoyens de Laval et d'autres villes avoisinantes réclament à hauts cris un nouveau pont pour relier la couronne nord à l'est de Montréal. En août 2002, 14 municipalités de la Rive-Nord, représentant 750 000 citoyens, s'unissent sous le Regroupement pour l'autoroute et le pont de la 25 pour tenter de faire bouger les choses. Le maire Vaillancourt est particulièrement actif dans ce dossier. « Trente ans après les expropriations devant permettre le parachèvement de l'autoroute 25, le dossier stagne toujours [...] Les résidants de l'est de Montréal, de Laval et de la Rive-Nord ont été assez patients. Cessons de perdre du temps et faisons aboutir ce projet », prêche-t-il en 2003 par voie de communiqué.

En 2005, le gouvernement Charest donne le feu vert au parachèvement de l'autoroute qui consiste en la construction d'un tronçon de 7,2 kilomètres entre le boulevard Henri-Bourassa à Montréal et l'autoroute 440 à Laval, comprenant un pont haubané à six voies. Le coût du projet, réalisé en partenariat avec le secteur privé, est estimé à plus de 500 millions $.

Les travaux débuteront en 2008 et le pont est inauguré en 2011, au grand plaisir de plusieurs automobilistes qui voient toutefois réapparaître le péage, disparu depuis plusieurs années dans la région. Avant même son inauguration officielle, on compte déjà plus de 35 000 abonnés au système de péage électronique géré par l'entreprise qui exploite le pont. Celui-ci provoquera la grogne à quelques reprises en raison de son coût au fil des ans, mais il n'empêche que le prolongement de la 25 est considéré majoritairement comme une avancée pour l'île Jésus et est salué comme l'une des réussites du maire Vaillancourt.

* * *

Attirer une université à Laval a toujours été un rêve pour le maire Vaillancourt. Il avait d'ailleurs clairement affiché ses couleurs lors de son arrivée à la mairie en 1989 en promettant aux jeunes Lavallois qu'ils pourraient bénéficier un jour de tels services dans leur ville natale. En 2004, le projet se concrétise finalement lorsque l'Université de Montréal annonce l'implantation d'un nouveau campus relié à la station de métro Montmorency. Laval offre une subvention de plus de 8 millions $ pour la cité universitaire qui ouvre ses portes en septembre 2011.

* * *

Livrée en retard et à un coût beaucoup plus élevé que prévu, la Place Bell est un legs inachevé du maire Vaillancourt. Annoncé lors de sa dernière campagne électorale à la mairie, ce projet est en quelque sorte le chant du cygne de Gilles Vaillancourt.

C'est son successeur, Marc Demers, qui présidera l'inauguration en août 2017 de ce complexe multifonctionnel, culturel et sportif, qui devait initialement ouvrir en 2012. Le coût estimé au départ était d'environ 120 millions $, mais le montant final s'élèvera à 200 millions $. À un certain point, le ministère des Affaires municipales mandatera une vérification sur ces dépassements de coûts, mais aucune irrégularité ne sera relevée dans le dernier projet de Vaillancourt.

* * *

Immense projet qui ne verra jamais le jour, le Commodore est l'ultime symbole du développement à la Vaillancourt. Même s'il s'agit de l'une des rares initiatives du « maire à vie » qui n'aboutira pas, elle marquera tout de même les esprits quant à l'ambition de Gilles Vaillancourt pour sa ville et aux moyens qu'il est prêt à utiliser pour arriver à ses fins.

En octobre 2012, on annonce que le site de la marina Commodore, à Pont-Viau, fera place à un développement immobilier d'importance : on y construira deux tours d'habitation de plus de 28 étages pouvant accueillir plus de 300 condos. Le constructeur, Aldo Construction, remet à neuf les quais avant même d'entamer la construction des tours et promet de sauvegarder le site de la marina situé en bordure du boulevard Lévesque. Néanmoins, plusieurs citoyens sont mécontents ; ils craignent que le nouveau développement ne leur bloque la vue sur la rivière des Prairies et ne détonne dans l'environnement du quartier. Le regroupement citoyen « Pas de tours dans ma cour » s'attaque de front au projet alors que la Ville de Laval est au même moment mise sous tutelle à la suite des accusations déposées contre l'ex-maire Vaillancourt.

Des allégations de modification illégale de zonage, qui aurait eu lieu en 2009 sous l'ancienne administration Vaillancourt, se propagent et la Ville déclenche une enquête administrative. Face au tollé, Aldo Construction suspend le projet en juin 2014 et le promoteur intente une poursuite de 64 millions $ contre la Ville qu'il accuse d'avoir bloqué le projet.

Cela sonne, en quelque sorte, la fin du développement immobilier tel qu'il a eu cours sous Vaillancourt. En août 2017, l'administration Demers annonce d'ailleurs qu'elle interdit la construction d'immeubles de plus de six étages sur la majorité de son territoire. « C'est la fin du Far West », résume François

Brochu, le porte-parole du maire Marc Demers. Désormais, un projet comme le Commodore ne pourra plus être recevable à la Ville de Laval.

En rappelant constamment tout ce qu'il a réalisé pour le développement de Laval, Vaillancourt contribue à s'inscrire dans une perspective historique aux yeux de ses citoyens : il est le maire qui a fait entrer la ville dans la cour des grands. Cette aura est renforcée par sa longévité exceptionnelle au poste de premier citoyen de la ville.

Lucille Dénommé fait partie de ces citoyens qui demeurent à ce jour de fervents admirateurs du maire déchu. Pour la Lavalloise à la retraite, Gilles n'est « pas un Dieu, mais presque ». « Si les gens avaient vu tout ce qu'il a fait pour Laval, pas juste la 25 ou l'université, ils n'en reviendraient pas. Juste dans le dossier du métro : tout le monde traitait Gilles de rêveur quand il en parlait. Mais on a fini par l'avoir ! J'ai 82 ans. À mon âge, on oublie des affaires, mais je n'oublierai jamais mon Gilles et tout ce qu'il a fait pour nous. »

Qu'elle est facile et confortable, la politique municipale, lorsque tout marche sur des roulettes ! Les élections se succèdent et se ressemblent avec leur raz-de-marée de conseillers élus provenant du même parti. La ville se développe sans cesse, même si c'est au prix de décisions douteuses au plan de l'urbanisme. Le super-parti politique de Gilles Vaillancourt implosera pourtant de lui-même, sans que les Lavallois aient pu lui montrer la porte.

6

VAILLANCOURT LE CHARMEUR

Oui, Laval se développe. Oui, les taxes sont basses. Mais la popularité qui permettra à Gilles Vaillancourt d'être maire pendant près d'un quart de siècle s'explique aussi par les habits de charmeur qu'il sait revêtir. Cela lui vaudra des admirateurs inconditionnels, même après ses démêlées avec la justice.

Gilles Vaillancourt est un homme à la personnalité fascinante. Il ne fait rien comme les autres. Ce dernier est fait de contradictions étonnantes. Par exemple, l'homme le plus puissant de Laval n'a pas d'amis. Ou si peu. Il accumule les millions de dollars en secret, mais vit plutôt modestement. Il soigne férocement son image, mais se permet publiquement des écarts avec les femmes, ce qui embarrasse son entourage. Vaillancourt est un politicien en apparence charmeur qui adore être près de ses électeurs, mais c'est aussi un homme secret et renfermé. Il est littéralement une énigme pour tout le monde, à l'exception de sa famille et de quelques proches collaborateurs. Et encore là, aucun d'entre eux ne peut se vanter d'avoir accès entièrement à l'homme qui dirige Laval.

Bien que Gilles Vaillancourt soit un homme respecté et en vue, les membres de son administration sont peu nombreux à l'apprécier. Selon les témoignages recueillis, le maire est assez imbu de lui-même. Pour son responsable des communications Pierre Desjardins, qui l'a épaulé de 2002 à 2013, il « n'est pas quelqu'un de désagréable, mais il parle beaucoup. De lui. » Ses plus proches collaborateurs doivent être dotés d'une bonne oreille et d'une certaine dose de patience. Leur patron passe de longues heures au travail qu'il aime entrecouper de bonnes discussions. Il est bavard, certes, mais il aime surtout se raconter. Qu'importe si un travail urgent attend. Si le maire veut narrer à nouveau une ou deux anecdotes, il faut arrêter tout ce que l'on fait et attendre patiemment la fin du monologue. Vaillancourt choisit judicieusement les thèmes qu'il aborde avec son entourage. En apparence, il peut paraître accessible et ouvert, mais rien dans ses laïus ne permet d'avoir un accès réel au personnage.

Peu de passe-temps lui sont connus, mais deux sujets l'obsèdent complètement : les courses de chevaux et le hockey. Jeune adulte, lors de son hospitalisation en raison d'un grave accident d'automobile, Gilles Vaillancourt se met à écouter assidûment les courses de chevaux à la télévision pour passer le temps. Cette passion lui est restée. Quant au hockey, comme pour plusieurs Québécois, c'est une véritable religion pour Vaillancourt. « Il connaît ça pas à peu près. Je pense qu'il est capable de donner le c.v. de tous les joueurs de la Ligue nationale de hockey. Le hockey, les chevaux, les bateaux. C'est de ça qu'il parlait. Souvent, Pierre Lafleur [son chef de cabinet] et moi, on se regardait et on se demandait s'il était capable de parler d'autre chose », se remémore Pierre Desjardins. En dehors du bureau, Vaillancourt consacre le peu de son temps libre à son bateau amarré en permanence derrière sa maison près de l'île Paton. Ce n'est que sur l'eau que le politicien relaxe et se sent réellement libre.

DE L'ARDEUR AU TRAVAIL

Le premier citoyen de Laval n'a pas de temps pour développer d'autres loisirs : il travaille sans arrêt. Selon plusieurs anciens conseillers du PRO des Lavallois, le maire est à pied d'œuvre quasiment sept jours sur sept à raison de plus de 70 heures par semaine. En presque 40 ans de vie politique, il ne lèvera jamais le pied ou alors très rarement.

À part quelques séjours en Floride où il possède un condo, le maire ne part pour ainsi dire jamais en vacances. Plusieurs fois par mois, il commence ses journées à 7 h sur un vélo stationnaire au centre sportif Tennis 13, à l'angle de l'autoroute 13 et du boulevard Notre-Dame. Le maire demande à son attaché de presse de l'y rejoindre et de lui lire l'horaire de la journée pendant qu'il pédale avec force. Après quoi, direction hôtel de ville pour une journée bien remplie qui s'arrête rarement avant 23 h, voire minuit. Et c'est sans compter tous les événements qui ont lieu la fin de semaine et auxquels Vaillancourt assiste, de l'épluchette de blé d'Inde au souper spaghetti, en passant par les collectes de fonds de l'association des pompiers.

À l'hôtel de ville, une salle de bain avec douche est réservée exclusivement à l'usage du maire qui vit pratiquement dans son bureau. « Il brûlait les attachés de presse et collaborateurs qui n'étaient pas capables de suivre son rythme », confie un membre de son entourage. Rapidement, Vaillancourt se forge une réputation, bien méritée, de bourreau de travail, qu'il entretient avec plaisir en convoquant des journalistes à l'aurore pour des entrevues. « C'était difficile de le rencontrer, car son agenda était toujours plein [...] Ça m'est arrivé à quelques reprises de rencontrer le maire à 6 h le matin, à l'ouverture du restaurant Cora, situé près de son magasin de meubles. J'arrivais là à 6 h, les deux yeux dans le même trou, et le maire, lui, était frais comme une rose. Et il avait même eu le temps de lire les journaux avant notre entretien », raconte le journaliste Jean-Claude Grenier.

Outre le contrôle absolu que cela donne à Vaillancourt sur sa ville, ses connaissances approfondies permettent au chef et dirigeant de Laval de donner un excellent service à ses clients, c'est-à-dire les citoyens. C'est là un point fondamental qui explique en grande partie pourquoi l'homme a continué de bénéficier du soutien inconditionnel de plusieurs Lavallois, même après qu'il a été envoyé en prison.

LE « P'TIT GARS » DE LAVAL-DES-RAPIDES

Ce n'est pas la chance ni le hasard qui permettent à Vaillancourt de remporter aussi facilement toutes les élections, et ce, malgré les nombreux scandales et les nombreuses rumeurs de corruption qui touchent son administration. L'incroyable popularité dont jouit Gilles Vaillancourt auprès de ses citoyens permet au parti de se maintenir au pouvoir. Le maire est carrément vénéré par certains Lavallois qui voient en lui le meilleur gestionnaire qu'ait connu la ville, et peut-être même le Québec. Chaque année, plusieurs Lavallois cognent à la porte du PRO, le parti du « bon maire Vaillancourt », pour offrir leurs services comme bénévole. Et même après sa chute, le Monarque continuera d'être populaire auprès d'un bon nombre de citoyens, dont certains irréductibles qui rêvent de le voir se présenter à nouveau à la mairie à sa sortie de prison.

Cette loyauté indéfectible envers Vaillancourt n'a pas surgi de nulle part. Dès son arrivée au pouvoir, le maire met tout en œuvre pour plaire à ses citoyens et, surtout, pour paraître proche d'eux. Gilles Vaillancourt ne commet pas l'erreur de se placer au-dessus de son électorat. Du moins pas en public. Au contraire, il essaie toujours de se présenter comme le « p'tit gars » de Laval-des-Rapides et parle abondamment de ses origines modestes.

Lorsqu'il rencontre un citoyen, « Gilles » essaie de trouver s'ils ont de la parenté ou des amis communs. L'homme connaît extrêmement bien Laval et ses différents enjeux. Sa capacité à situer instantanément une rue dans un quartier ou encore à connaître le prénom du directeur de telle école primaire l'aide à créer rapidement un climat d'intimité avec ses interlocuteurs. Ami, bon père de famille, oncle, copain de taverne ou de golf... Gilles Vaillancourt sait s'adapter. Les citoyens se sentent à l'aise avec lui et l'apprécient : c'est un « bon p'tit gars de chez nous ».

Au restaurant ou dans la rue, il prend le temps d'aller serrer les mains des gens, de leur parler et de se renseigner sur leur vie. « Il était gentil, se souvient l'ex-conseillère Claire Le Bel. Il jasait avec tout le monde. C'était un monsieur de son temps. Il savait faire des compliments sur les robes des dames, leur coiffure, etc. » En plus d'être courtois, le maire connaît pratiquement chaque problème dont lui parlent ses citoyens ou il se renseigne rapidement. Et ce service à la clientèle hors pair va bien au-delà des attentes normales des citoyens.

Selon l'ancien journaliste Jean-Claude Grenier, le maire prend fidèlement note des doléances de ses citoyens lors des conseils municipaux, que cela concerne un nid-de-poule sur un boulevard ou un parc municipal quelque peu négligé. Régulièrement, après le conseil, il part ensuite avec son chauffeur constater lui-même l'état de la situation et appelle le directeur du service concerné le lendemain, aux aurores, pour régler le problème. « On se disait à l'époque que Vaillancourt connaissait toutes les petites rues de Laval », dit Jean-Claude Grenier. Selon l'ex-responsable des communications Pierre Desjardins, le maire faisait la même chose la fin de semaine avec son véhicule personnel.

Vaillancourt prend aussi le temps de rappeler personnellement une partie des citoyens qui appellent à l'hôtel de ville pour se plaindre. Il confie d'ailleurs à l'ex-maire de Westmount qu'il a énormément de *fun* à joindre directement ses concitoyens. « Il me disait que ça l'amusait d'entendre les bonnes femmes *shaker* au bout du fil parce qu'elles n'en revenaient pas de recevoir un appel du maire. Il adorait ça », évoque Peter Trent.

Gilles Vaillancourt pousse même son service à la clientèle jusqu'au concept d'analyse marketing. Il « étudie » carrément son marché cible, comme il le dévoilera, au détour d'une conversation, au député péquiste Serge Ménard. « Il m'a parlé d'un livre sur la démographie et l'usage que devraient en faire les jeunes qui étudient en science politique [...] Il voyait que cette science-là pouvait l'aider à mieux gouverner », se remémore M. Ménard. Le maire explique alors à son interlocuteur comment il arrive, grâce à cette science, à déterminer s'il doit construire plus d'arénas que d'espaces pour jouer à la pétanque à Laval ou l'inverse.

DES GOÛTS SIMPLES

Autre paradoxe. Celui qui remettra près de neuf millions de dollars à la Ville de Laval après avoir été condamné n'a pourtant jamais étalé sa richesse en public. Il montre toutes les apparences d'un homme qui vit modestement. Sous le couvert de l'anonymat, certaines de ses fréquentations le qualifient de personne *cheap* qui, en société du moins, agit comme quelqu'un près de ses sous. Le mode de vie de Vaillancourt le situe dans la classe moyenne aisée. Sa maison située sur le croissant des Îles, sur l'île Du Tremblay, est cossue sans être tape-à-l'œil, à l'image du maire toujours bien habillé mais avec sobriété. Aussi, point de restaurants onéreux de fine cuisine pour Gilles Vaillancourt : le casse-croûte La Belle Province ou encore le restaurant familial Ciel Bleu, tous deux situés à Laval-des-Rapides, figurent parmi les repaires du maire.

On ne sait toutefois pas si le maire fait preuve de la même sobriété lors de ses nombreux séjours en Floride. Le couple Vaillancourt possède un joli appartement à Sunny Isles, près de Miami. C'est la femme de Gilles, Francine Dupuis, qui en a fait l'acquisition pour une somme de 160 000 $ US en 2006, alors qu'il en valait plus de 400 000 $ US comme l'a ensuite révélé TVA Nouvelles. En juin 2017, un reportage du *HuffPost Québec* révèle d'ailleurs que Francine est toujours propriétaire du condo, qui est estimé à 900 000 $ US. Loin des regards de ses concitoyens, peut-être Gilles Vaillancourt se permet-il un mode de vie plus luxueux ? Mais à Laval, il est l'image même de la sobriété.

Ses seuls vices sont les bateaux et les jolies voitures. Il se procure d'ailleurs une superbe automobile décapotable de marque Saab en 1992. Il ne l'utilisera jamais lors d'activités publiques, puisqu'une voiture de fonction et un chauffeur sont dédiés au maire en permanence. C'est d'ailleurs un grand soulagement pour son entourage, car Vaillancourt a la réputation d'être un terrible chauffard... Néanmoins, il se permet de conduire une Oldsmobile Aurora fournie par la Ville à l'occasion. Le maire devra même s'excuser publiquement pour ses excès de vitesse. En 2001, il reçoit une contravention pour avoir roulé à 157 kilomètres à l'heure à bord de sa voiture de fonction ! Il exprime quelques remords lors d'une entrevue accordée au *Journal de Montréal*. « Le maire se doit de donner l'exemple [...] Que voulez-vous, je ne suis pas parfait. »

UNE IMAGE SOUS CONTRÔLE

Même s'il cultive des airs humbles, Gilles Vaillancourt admet volontiers, lors de conversations privées, ne pas être insensible au luxe et au prestige qui accompagnent son statut social. « Il adorait le côté royal de sa fonction », souligne l'ex-maire de Westmount, Peter Trent. Néanmoins, ce qui fait le plus vibrer le maire, c'est la politique et le pouvoir. L'argent, les pots-de-vin et les manœuvres illégales ne sont qu'un mal nécessaire aux yeux de Vaillancourt, nous ont confié des membres de son entourage.

Or, pour accéder et, surtout, pour garder le pouvoir, il faut être aimé et élu par la population. Vaillancourt le sait pertinemment. Il ne veut pas qu'on s'épanche sur sa vie privée et tient à ce qu'on parle abondamment de ses triomphes. Le maire n'hésite pas à dépenser sans compter à même les fonds de la Ville pour s'assurer que ses propos et son image passent bien dans les médias. Il est constamment entouré d'experts en relations publiques qui le conseillent à cet effet.

La firme National accompagne le maire dans plusieurs dossiers en plus de lui fournir des conseillers en communication. En avril 2013, le défunt hebdomadaire lavallois *L'Écho de Laval* révèle que la firme de relations publiques a obtenu pour plus de 7 millions $ de contrats, de 2003 à 2013, avec la Ville de Laval. La longue et étroite collaboration de l'administration Vaillancourt avec National sera plus tard scrutée à la loupe. Pierre Desjardins se retrouvera lui-même en eaux troubles lorsqu'il sera dit à la commission Charbonneau qu'il était payé à même la caisse occulte du PRO des Lavallois. Allégation qu'il a vigoureusement niée lorsqu'il nous a accordé une entrevue.

Lorsqu'il s'entête à propos de quelque chose, l'impact médiatique potentiel demeure l'ultime argument pour le faire changer d'avis. Au milieu des années 1990, le député péquiste

Serge Ménard a l'occasion d'en être témoin lors d'une réunion de la MRC (municipalité régionale de comté, une structure administrative) de Laval. Selon ce qu'il nous a raconté, Vaillancourt y attaque violemment un comité environnemental de la MRC qui s'est prononcé contre certains développements immobiliers. Par conséquent, le maire menace de diminuer drastiquement le financement du comité. Les conseillers municipaux présents, tête basse, ne disent rien. « Évidemment, je prends la parole [...] Un comité environnemental, c'est là pour soulever des problèmes d'environnement. Et les projets privés ont un coût environnemental. Que le maire veuille baisser la contribution annuelle de ce comité à cause de critiques de projets, c'est inadmissible », rapporte M. Ménard.

Le député et le maire s'affrontent durement, mais Vaillancourt refuse de céder. Finalement, M. Ménard menace d'en parler aux médias. « Là, l'argument l'a touché », relate-t-il. Le maire renonce à sévir contre le comité et s'évite, cette fois-là, un énième scandale dans les journaux.

TOUJOURS POPULAIRE ET AIMÉ, MÊME APRÈS SON ARRESTATION

Ces efforts du maire pour plaire rapportent gros. L'immense popularité de Gilles Vaillancourt l'accompagne fidèlement jusqu'à sa démission en 2012, son arrestation en 2013 et même après. Si sa réputation en prend pour son rhume à l'échelle de la province alors qu'il fait la une des journaux, plusieurs Lavallois lui demeurent toutefois loyaux. Pour eux, la magouille et la corruption que l'on reproche au maire déchu pèsent moins lourd dans la balance que tout le bien qu'il a fait pour Laval.

En attendant son procès, Vaillancourt fait du bénévolat plusieurs fois par semaine dans un organisme d'aide aux démunis situé près de sa résidence, Partage Saint-Maxime. Au départ, il se cache dans les cuisines où il prépare les dîners des bénévoles. Il craint que ceux-ci l'insultent ou le rejettent s'ils le voient. Quand Lucille Dénommé, qui fait aussi du bénévolat à cet endroit, le croise, elle est sous le choc. « Je me suis tout de suite retournée de bord. Gilles avait les larmes aux yeux. Il a dit à sœur [Mariette] Desrochers [la directrice de Partage Saint-Maxime] : "Je la connais, cette femme. Elle a travaillé comme bénévole pour moi quand j'étais maire". Plus tard, sœur Desrochers m'a demandé pourquoi je lui avais tourné le dos. J'ai répondu que je ne savais pas comment réagir. Puis, un midi, Gilles est venu s'asseoir à côté de moi et on a renoué d'amitié. »

La réaction de Mme Dénommé est assez représentative de celle d'autres Lavallois qui croisent l'ex-élu à cette époque : de la stupéfaction, voire un peu de gêne, mais rapidement on retrouve une certaine déférence envers « monsieur le maire », comme on continue de l'appeler. « Il saluait tout le monde et donnait la main aux gens [...] Il mangeait avec nous autres tout le temps, le midi », souligne sœur Desrochers.

Que ce soit à Partage Saint-Maxime ou au casse-croûte situé près de sa résidence où il se rend régulièrement, Gilles Vaillancourt continue d'être salué par des citoyens qui lui demandent souvent s'il se représentera à la mairie, une fois ses déboires judiciaires terminés. Impossible pour lui de déjeuner sans qu'une, deux, voire trois personnes viennent l'interrompre pendant son repas pour lui présenter leurs hommages.

Ce ne sont pas tous les Lavallois qui apprécient et soutiennent l'ex-maire, loin de là. Mais plusieurs d'entre eux, particulièrement dans la tranche la plus âgée de la population, ont la mémoire courte quant aux crimes commis par l'ancien premier citoyen de Laval. Michelle Lacroix, 71 ans, réside à l'île Paton depuis cinq ans, mais est une fière Lavalloise depuis 1974. Bénévole à Partage Saint-Maxime, elle fait partie d'un groupe de citoyens que nous avons rencontrés à l'été 2017 pour connaître leur opinion sur leur ancien maire. « On l'appelle encore monsieur le maire. Tout ce qui s'est passé de négatif et de magouilles, nous, on ne veut rien savoir. C'était un bon maire et les taxes étaient basses. Tout était tellement bien géré. Nos rues, contrairement à maintenant, étaient impeccables. Je n'ai rien de négatif à dire sur lui. La magouille, ce n'est pas ce qu'on veut savoir. On veut voir le positif » a-t-elle témoigné.

Mme Lacroix, tout comme son conjoint Maurice Gilbert (77 ans) et son collègue bénévole François Lestage (81 ans), affirme qu'elle voterait à nouveau sans hésitation pour Gilles Vaillancourt s'il se représentait en politique. « Il a toujours été sympathique. On se donnait la main. Il était proche des gens. Il n'avait pas peur. Il ne se défilait pas », souligne M. Gilbert. Pour François Lestage, Gilles Vaillancourt est un homme qui a « tout donné pour Laval » et il blâme les médias pour l'avoir « écrasé ». « C'est lui qui a mis Laval sur la *map*. C'était un excellent maire. C'est qu'il a été pogné dans une roue, un engrenage. Il a peut-être fait de mauvaises passes, mais il n'avait pas le choix de les faire [...] Dans le genre de travail qu'il fallait qu'il fasse faire, il y a des *contracteurs*, de l'argent qui passe d'un côté pis de l'autre [...] Il a été un peu victime [de tout ça] », croit-il.

S'ils ont passé rapidement l'éponge, d'autres citoyens admettent avoir tout de même vécu durement l'arrestation de leur maire. En octobre 2012, alors que des policiers de l'Escouade Marteau viennent perquisitionner la résidence du maire à l'île Paton, une voisine et membre du PRO des Lavallois, Micheline Charbonneau, se précipite au-devant des caméras de télévision pour prendre sa défense. Gilles Vaillancourt lui enverra ensuite une lettre de remerciement. Rencontrée en août 2017, elle a admis avoir vécu tout de même une déception à l'époque. « Au fond, ça m'a dérangée qu'il se fasse arrêter. J'avoue que j'ai été déçue. Je ne pouvais pas croire qu'il avait fait une chose pareille. » Néanmoins, son opinion envers « son maire » ne change pas : « Je ne lui tournerai jamais le dos. J'en serais incapable. J'ai beaucoup de respect pour lui. D'après moi, il ne volait pas l'argent aux citoyens, car les taxes n'augmentaient pas. Et il n'a pas laissé sa ville dans le trouble quand il est parti. Pas comme ce qu'on a vu dans d'autres villes, comme à Montréal. »

7

VAILLANCOURT LE TYRAN

Bourreau de travail, Gilles Vaillancourt compte aussi de nombreux détracteurs parmi ceux qui le côtoient de près. Sa personnalité autoritaire, son style de gestion très impliqué et ses relations difficiles avec certaines personnes composent le côté plus sombre de sa personnalité. Le Monarque ne fait pas l'unanimité mais il s'en formalise peu : il est le capitaine du bateau.

DES SECRETS BIEN GARDÉS

Comme la plupart des gens, Gilles Vaillancourt tient à garder secrets certains pans de sa vie. Il profite aussi, dans bien des cas, de la discrétion de son entourage, qui garde sciemment le silence pour éviter au maire des ennuis.

Un sujet largement tabou et méconnu du grand public concerne l'attitude de Vaillancourt envers les femmes. Nombreux sont les intervenants rencontrés qui sont formels à ce sujet : Gilles Vaillancourt a souvent eu, au fil des ans, des paroles déplacées envers la gent féminine. Ces propos ont pu se traduire tant par des remarques se voulant séductrices que par des commentaires méprisants à l'égard des femmes visées.

Un de ses plus proches collaborateurs nous a expliqué sous le couvert de l'anonymat à quel point le maire pouvait être « gênant » pour son entourage. « Par exemple, au restaurant, si la serveuse était *cute*, il lui disait : "Est-ce que quelqu'un vous a dit que vous étiez belle aujourd'hui ? " On se regardait en disant qu'à un moment donné, il mangerait une claque sur la gueule », nous a-t-il relaté.

L'ancien député du Parti québécois dans Vimont, David Cliche, tient des propos semblables. « C'était un grossier personnage. Il passait souvent des commentaires très désobligeants envers les femmes », affirme M. Cliche, soutenant avoir entendu par exemple le maire traiter une femme de « trop grosse ». Clairement, la relation de Gilles Vaillancourt avec les femmes est particulière. L'ex-maire d'une ville avoisinante nous a également confié que Vaillancourt « aimait les femmes. À un tel point que certaines se plaignaient à moi. » Il est à noter que le maire n'a jamais fait l'objet de plainte officielle en matière de harcèlement sexuel.

La vulnérabilité du maire est un autre secret bien gardé par son entourage. Aux yeux du public et pour plusieurs personnes qui le côtoient, Gilles Vaillancourt est un homme extrêmement dur et autoritaire. Ce dernier cultive d'ailleurs volontairement cette image d'homme fort. Rares sont ceux qui connaissent assez bien le maire pour découvrir une autre facette de son caractère : sous ses airs d'homme contrôlant se cacherait une personne peu sûre d'elle, du moins si on en croit le témoignage de son ancien conseiller en communication Michel Fréchette, livré à *La Presse* en novembre 2010. Il y décrit Vaillancourt comme un homme « extrêmement sensible », anxieux et qui peut même pleurer lorsque les médias se font cinglants à son endroit. « L'image de potentat qui s'est créée autour de lui a atteint des proportions mythiques nettement exagérées [...] L'image de glace, c'est une façade. Il n'est pas au-dessus des attaques qu'il subit. Ces choses-là l'atteignent [...] Il a ses sensibilités, mais il a aussi une pudeur énorme. Il ne vient pas d'une famille où on exprime facilement ses sentiments [...] Il se donne énormément à cette fonction. Je ne lui connais pas beaucoup d'autres intérêts. Il est mordu de politique. Peut-être trop, dans la mesure où la vie est plus vaste », illustre M. Fréchette.

Homme complexe s'il en est un, Vaillancourt affiche plusieurs personnalités. À l'hôtel de ville et avec ses collaborateurs, c'est un homme austère, décrit comme étant « narcissique » et « dur ». En public ou lorsqu'il rencontre des citoyens, il montre plutôt le visage d'un homme charmant, travaillant et modeste. Il existe deux Gilles. Et Vaillancourt maîtrise à merveille l'art de mettre de l'avant l'une ou l'autre de ses personnalités selon les circonstances, afin d'atteindre ses objectifs.

NE JAMAIS RIEN DEVOIR À PERSONNE

Très autoritaire et habitué à se faire obéir sans questions, l'homme se livre peu. Garder une distance tant avec son entourage qu'avec les journalistes semble être son credo, voire une manière de se protéger. L'ingénieur Claude Vallée de la firme Vallée, Lefebvre et associés, qui obtient régulièrement des contrats avec la Ville, est appelé à fréquenter souvent le maire pour discuter affaires. Comme d'autres, il remarque que Vaillancourt a peu d'amis, mis à part ceux qui sont dans sa vie depuis plusieurs années, comme Luc Goineau, le propriétaire du centre de rénovation Goineau-Bousquet à Laval. « Pour Vaillancourt, tout le monde était à la même distance : les ennemis n'étaient pas loin et les amis n'étaient pas proches. Il avait certes des complices, des connaissances, des partenaires d'affaires, mais il n'avait pas d'amis », relate-t-il. C'est aussi la vision qu'en a Martin Fiset qui a été tour à tour chef de division, assistant, puis directeur des ressources humaines à la Ville de 1987 à 2011. « En général, le maire était un peu craint. Je pense que c'est le bon mot. À cause de sa personnalité. Ce n'était pas un tendre et il n'était pas facile d'approche. »

Est-ce par méfiance ? Ou bien un moyen de garder à distance les curieux ? Toujours est-il que le maire semble agir systéma-tiquement pour éviter de se compromettre. Ce qui lui permet aussi de ne rien devoir à personne ; il ne veut pas avoir les mains liées par qui que ce soit. Autrement dit, l'homme fait tout pour éviter de goûter à sa propre médecine.

Même ses plus proches conseillers politiques, attachés de presse ou stratèges sont gardés à distance et font figure de simples exécutants de ses ordres. Par exemple, Pierre Desjardins, qui a passé une dizaine d'années aux côtés du maire, avoue n'avoir jamais réussi à payer ne serait-ce qu'un café à son patron. « Le midi, le maire, Pierre Lafleur et moi allions souvent dîner au *food court* du Carrefour Laval. À la fin du repas, je me levais et je disais : "Café tout le monde ? " Non. Le maire, lui, il se levait et allait chercher lui-même son café. Chaque fois. » M. Desjardins affirme s'être heurté pour la première fois à l'indépendance de Gilles Vaillancourt au début des années 1990, alors qu'il était un simple consultant sans lien avec l'administration lavalloise. « Un soir, je soupais dans un restaurant et le maire était là avec quelqu'un d'autre. Je dis au propriétaire du restaurant en quittant : "Sa facture, elle est pour moi". Le lendemain, le propriétaire m'appelle. "M. Desjardins. Il faudrait que vous repassiez signer votre facture. M. Vaillancourt a refusé. Il m'a dit que si je faisais ça, il ne reviendrait plus jamais dans mon restaurant." »

COMME UN CHEF DE PME

Le maire de Laval ne laisse rien au hasard. C'est un as de la microgestion. Il veut être au courant de tout ce qui se passe à la mairie et sur « son » territoire : de la colère d'un citoyen à propos de la collecte des ordures au fonctionnaire qui s'absente un peu trop souvent de son travail. Gilles Vaillancourt prend les choses à cœur lorsqu'il est question de Laval ; on pourrait aisément croire que la ville lui appartient réellement. Il agit comme si l'ensemble des acteurs de la société lavalloise – citoyens, conseillers, entrepreneurs, gens du milieu des affaires, etc. – devait lui rendre des comptes. En cela, il fait davantage penser à un chef de PME, dont l'entreprise est au centre de sa vie, qu'à un maire élu à coup de mandats de quatre ans.

À l'instar d'un dirigeant de petite ou moyenne entreprise, Vaillancourt plonge les deux mains dans tous les aspects de sa *business* – en l'occurrence ici les dossiers de la Ville. Et cette ingérence est tout à fait normale à ses yeux. Au fil des ans, ce dur labeur et son excellente mémoire lui permettent d'acquérir une connaissance exceptionnelle de tous les aspects de l'administration lavalloise.

Cette expertise est connue à Laval, au grand plaisir du maire, et contribue à forger une certaine aura mythique. Martin Fiset affirme carrément n'avoir « jamais connu aucun fonctionnaire au fédéral ou au provincial qui connaissait autant ses dossiers » que Gilles Vaillancourt. « Il avait beaucoup de mémoire et c'était un gars qui avait un intérêt pour l'administration et la gestion. Par exemple, quand il faut investir dans le système de paie, il souhaite comprendre comment cela fonctionne. »

Lors des conseils municipaux, le maire prend visiblement plaisir à utiliser ses connaissances pour épater les citoyens présents, explique M. Fiset. « Il pouvait intervenir dans des changements de zonage en donnant des numéros de cadastre de mémoire. Un vrai *nerd* de sa ville. Il pouvait aussi citer par cœur des pourcentages d'augmentation de budget sur tel ou tel projet. Et tu vérifiais et c'était les bons chiffres. Ce n'était pas du *bluff*. »

Lucille Dénommé, une amie d'enfance des frères de Gilles Vaillancourt, a souvent assisté aux conseils municipaux. « Il avait toute une personnalité comme maire, se rappelle-t-elle. Il connaissait ses dossiers sur le bout de ses doigts. Lors des conseils municipaux, c'était presque un spectacle de voir comment il pouvait retourner le monde de bord ! Il avait un talent extraordinaire. » Promoteurs et firmes en tout genre apprennent rapidement qu'il est impossible de duper le premier citoyen de Laval lorsqu'il est question de chiffres ou de sa ville.

UN PATRON MAL AIMÉ

Si les « talents » de Vaillancourt amusent la galerie, il en est tout autrement pour la plupart des chefs de division et des fonctionnaires de la Ville. Ces derniers doivent composer avec un patron omniscient qui semble connaître leurs dossiers mieux qu'eux. Le maire n'hésite pas à humilier publiquement les employés de la Ville s'ils ne font pas montre de la même aisance et du même savoir que lui.

« C'est lorsque Laval est devenu SA ville que ça a commencé à basculer », explique Martin Fiset, qui situe ce tournant vers le milieu des années 1990. « Ce n'était pas un maire de passage. Il s'était approprié la ville et connaissait par cœur son mode de fonctionnement. Il avait le contrôle sur ses échevins et les

conseils exécutifs devenaient moins consultatifs et plus direc-
tifs : tu vas faire ça, on va procéder comme ça, etc. Les employés
de la Ville se préparaient et se préparaient encore avant de le
rencontrer sur un dossier. C'est sûr que ça l'amusait, le maire,
de coincer son fonctionnaire et d'exercer son autorité, son pouvoir », dit M. Fiset.

Même lors d'événements visant à souligner le travail des
fonctionnaires, le maire ne se gêne pas pour lancer des piques
à ses employés. « Je me souviens d'un dîner en l'honneur
des 20 ans de service d'un groupe de fonctionnaires. Le maire
prend le micro et dit : "Vous savez, un fonctionnaire, après cinq
ans, ça n'innove plus ben ben." C'est le genre de commentaires
qu'il pouvait faire. Il n'était pas excessivement respectueux
envers les fonctionnaires, disons. Il les prenait d'assez haut,
merci », souligne M. Fiset. Selon ce dernier, Gilles Vaillancourt
alterne constamment entre la carotte et le bâton pour garder
les employés de la Ville en état « d'instabilité » et s'assurer ainsi
qu'ils redoublent d'ardeur au travail. « C'est un manipulateur »,
résume M. Fiset.

Le maire Vaillancourt est très exigeant envers lui-même ;
il se fixe de hauts objectifs à atteindre. Et il s'attend à la même
célérité de la part des employés de l'hôtel de ville. Par exemple,
il demande à ce que les hauts fonctionnaires et les directeurs de
service paraissent aux conseils municipaux, eux qui écoutaient
auparavant la séance dans une autre salle de l'hôtel de ville. Ils
sont ainsi obligés de répondre directement aux doléances de la
population. Si un citoyen se plaint de travaux interminables sur
un boulevard, le maire oblige le directeur des travaux publics
à lui fournir une explication sur-le-champ. « Je n'ai jamais vu
d'autres maires faire ça. Les gens partaient des conseils municipaux en se disant : "Wow. De un, j'ai rencontré le maire. De

deux, il a fait venir le directeur de service et j'ai enfin eu mes réponses" », se souvient Martin Fiset.

Les relations entre le maire et ses fonctionnaires deviennent de plus en plus difficiles avec le temps. Vaillancourt éprouve une profonde méfiance envers pratiquement tout le monde à l'hôtel de ville. Il cache de l'information, espérant ainsi dissimuler toutes traces de ses activités illicites.

Son ancienne adjointe administrative, Josiane Pesant, témoignera à cet effet en novembre 2017 au procès pour fraude de l'entrepreneur en construction Tony Accurso. Celle qui a été responsable de l'agenda de Vaillancourt de 1997 à 2012 a eu, pendant toutes ces années, un accès privilégié au maire de Laval, et a donc été témoin de ses réflexions et de ses craintes. Selon Mme Pesant, Gilles Vaillancourt a toujours possédé uniquement un agenda papier pour noter ses rendez-vous. « Chaque semaine, on me demandait de déchirer la page de la semaine précédente. On ne conservait pas d'archives sur les rendez-vous de M. Vaillancourt, à sa demande », expliquera-t-elle. Toutes les feuilles de l'agenda passent au déchiqueteur, que l'on surnomme la « machine à saucisses ». Ainsi, impossible pour quiconque de savoir qui rencontre le dirigeant de la troisième plus grande ville du Québec et, surtout, à quelles fins. Même au sein de sa propre organisation, le Monarque craint les fuites.

Cette défiance s'accentue à la suite de la perquisition de l'Unité permanente anticorruption (UPAC) à l'hôtel de ville en 2012. Un « sentiment de paranoïa » s'installe au cabinet du maire, affirme Mme Pesant dans son témoignage. À la suite de cela, le maire recourt à de nouveaux moyens pour garder ses activités encore plus secrètes. Selon sa secrétaire, Gilles Vaillancourt fait acheter des téléphones jetables aux États-Unis en plus de se procurer un brouilleur d'ondes pour les téléphones portables. Il craint plus que tout d'être écouté.

Aussi, il réclame le secret absolu concernant certaines rencontres, notamment avec l'entrepreneur Tony Accurso dont les entreprises récoltent beaucoup de contrats avec la Ville de Laval. Selon Mme Pesant, M. Accurso visite le maire de deux à cinq fois par année. Après la perquisition, ces rendez-vous ont désormais lieu à l'extérieur de la mairie. « M. Vaillancourt nous demandait de rester confidentiels avec la venue de M. Accurso à l'hôtel de ville. C'était une demande formelle, il exigeait qu'on ne mette pas son nom sur l'agenda papier », témoignera l'adjointe administrative.

Mme Pesant n'est pas la seule à constater la propagation de la culture du secret. Les fonctionnaires en sont aussi conscients. La communication interne à la Ville de Laval est carrément déficiente. Ce problème sera d'ailleurs soulevé ultérieurement dans un rapport de l'École nationale d'administration publique portant sur l'administration lavalloise sous Vaillancourt et rendu public en 2016. Dans *Analyse thématique du diagnostic des risques éthiques dans le milieu municipal : Étude exploratoire*, du professeur Yves Boisvert, on fait état de déficits importants dans la gestion de l'information à Laval dans les années 1990 et 2000. On souligne notamment le « refus des notes officielles et des argumentaires trop détaillés » au sein de l'administration. Il est aussi relevé que des dossiers sont incomplets tant au greffe qu'aux ressources humaines et qu'il y a totale « absence de banques de données centralisées ». Selon le rapport de l'ENAP, cette absence de traces écrites et le manque de communication permettent « le contrôle de l'information pour tenir les employés à distance et dans l'ignorance ».

Tous les moyens sont bons pour se protéger de potentielles fuites d'information. Selon des employés municipaux lavallois, tout est géré à l'ancienne ; on ne communique que par des mémos manuscrits écrits à la va-vite sur des *Post-it*. Le maire lui-même prend très peu de notes et se fie quasiment uniquement à sa mémoire dans plusieurs dossiers. Peu de traces informatiques subsistent de l'époque Vaillancourt, ce qui causera d'ailleurs quelques maux de tête à l'administration suivante au moment de prendre la relève des dossiers.

IL VEUT TOUT SAVOIR

Le temps passe et le besoin du maire de tout connaître tourne pratiquement à l'obsession. La connaissance est source de contrôle et heureusement, presque rien ne peut survenir à Laval sans que Vaillancourt en soit informé. Ce qui le rassure profondément.

L'ingénieur Claude Vallée, qui discute régulièrement avec le maire, est d'ailleurs fasciné, durant les années 1990, par son omniprésence. Selon lui, Vaillancourt se mêle, sans que rien n'y paraisse, de toutes les élections d'associations de bénévoles ou autres sur son territoire.

Dans chaque poste décisionnel, ne serait-ce que dans le comité paroissial d'une église, le maire veut connaître « quelqu'un ». Et ce « quelqu'un » doit être un partisan pour rapporter fidèlement les faits qui pourraient intéresser Vaillancourt. On ne sait jamais, ça peut toujours servir. C'est encore plus vrai dans son fief de Laval-des-Rapides, souligne M. Vallée. « Les marguilliers, il fallait qu'ils soient de son bord. La commission scolaire, il faut qu'elle soit de son bord. Vaillancourt tissait sa toile. Ainsi, il savait ce qui se passait dans sa ville. »

Peu à peu, rapporter des ragots au maire devient une façon de s'en approcher. Quelques proches de Vaillancourt se font même un devoir de déjeuner ou de dîner régulièrement dans les restaurants très fréquentés par le milieu des affaires de Laval. Le but ? Informer ensuite le maire sur ce qu'ils y ont vu ou entendu. « Si quelqu'un allait manger chez Jean Rizzuto [adversaire politique de Vaillancourt dans les années 1990] au Marché 440, il était *spotté*. Il y avait toujours des espions dans la place. Tous les jours », illustre M. Vallée. Citoyens et partisans de Vaillancourt font ainsi figure d'employés qui rapportent fidèlement à leur employeur les potins de l'entreprise.

Même lorsqu'il est à l'étranger, le maire Vaillancourt continue de garder un lien étroit avec sa ville. L'ex-maire de Westmount, Peter Trent, a siégé aux côtés de Vaillancourt à la Conférence des maires de banlieue, qui regroupe une vingtaine de dirigeants de villes. En 1994, les deux hommes vont suivre pendant une semaine une formation sur « le sens de la région » à Atlanta, en Géorgie. « Chaque matin, Gilles Vaillancourt recevait par fax toutes les coupures de presse le concernant à Laval. Lorsque je descendais pour le petit déjeuner vers 7 h – 7 h 30, il était déjà passé à travers tous les communiqués de presse, tous les articles de journaux ! » se rappelle M. Trent.

De nos jours, il est courant, surtout pour les ministres, de recevoir chaque matin un dossier de presse, et ce, peu importe l'endroit où l'on se trouve dans le monde. Mais c'était plutôt inusité au milieu des années 1990 pour le maire d'une ville de banlieue de recevoir des dossiers aussi étoffés.

Vaillancourt veut tout gérer et garde une bonne partie de l'information pour lui, à l'abri du regard de « ses » employés. Cette attitude sans-gêne vient en grande partie du fait qu'il n'a jamais eu d'opposition solide devant lui, selon Martin Fiset.

« Dans sa tête, il était impensable qu'il soit dégommé un jour. »
Peu importe, donc, s'il bafoue certaines règles administratives
de base : le roi se croit indétrônable.

L'expression est peut-être usée, mais Gilles Vaillancourt
incarne parfaitement l'idée de posséder une main de fer dans
un gant de velours. Sa soif absolue de contrôle et l'autoritarisme
dont il fait preuve à l'hôtel de ville sont habilement dissimulés
aux yeux de la population grâce au charme dont il fait preuve en
public. Et tant que le maire a la faveur des électeurs et remporte
scrutin après scrutin, il est intouchable. Adoré par plusieurs de
ses citoyens, considéré comme un tyran par des fonctionnaires
et redouté par le milieu des affaires, Gilles Vaillancourt est un
homme caméléon que personne ne réussit réellement à percer
à jour. Ainsi, que ce soit par la ruse ou par la force, le maire de
Laval arrive toujours à ses fins.

8

SES MÉTHODES
POUR GÉRER LA VILLE

En gérant Laval comme s'il s'agissait de sa propre entreprise, Gilles Vaillancourt place ses proches à des postes-clés. Cela crée parfois de fortes apparences de conflits d'intérêts, par exemple lorsqu'il implique ses frères et sœurs, qui ne sont pourtant pas élus, dans la gestion municipale ou dans des transactions avec la Ville. Il en viendra même à tenter d'exercer un contrôle sur les médias locaux, comme si ces derniers n'étaient qu'une vulgaire division de la Ville plutôt qu'un nécessaire quatrième pouvoir indépendant de ses volontés.

L'IMPLICATION DE SA FAMILLE

Gilles Vaillancourt a beau traîner dans son sillage la réputation d'un homme solitaire et travaillant qui s'est hissé au sommet à la seule force de ses bras, n'empêche qu'il doit une fière chandelle à sa famille. Sans son père d'abord, qui l'a introduit à la vie sociale lavalloise, puis ses frères qui l'ont carrément aidé à gérer sa carrière municipale, le Monarque aurait été bien seul.

Tant à la mairie que lors d'activités publiques, le maire est toujours entouré des membres de son clan. Ceux-ci le protègent des inopportuns, mais ils sont aussi là pour lui rappeler de prendre bien soin des intérêts familiaux, d'abord et avant tout. Le maire de Laval gouverne aussi pour ses proches. En retour, son entourage l'aide à garder bien serrées les rênes du pouvoir et à s'assurer que tout le monde lui obéit au doigt et à l'œil à l'hôtel de ville.

La famille Vaillancourt est étroitement dirigée par le père, Marcel Vaillancourt. Cet homme ambitieux, qui a réussi haut la main dans le monde des affaires, nourrit des rêves au moins aussi grands pour ses fils. Fier libéral, Marcel initie tôt ses fils à la politique, et plus particulièrement Gilles dont il est très proche. L'ancien conseiller du PRO des Lavallois Jean-Jacques Lapierre est organisateur politique lorsqu'il rencontre le clan Vaillancourt dans les années 1980. D'aussi loin qu'il se souvienne, la famille a toujours été impliquée de près ou de loin en politique, selon la volonté de Marcel. « En fait, celui qui était censé devenir le grand homme politique, c'était son fils Paul. Au départ, c'était lui la grosse tête qui devait devenir la grande vedette politique », spécifie-t-il.

Contrairement au plan initial, c'est Gilles et non son frère Paul, qui se retrouvera sous les feux des projecteurs grâce au putsch qui propulse l'aîné à une place stratégique au sein du PRO des Lavallois. Lorsque la famille comprend que Gilles a de bonnes chances de prendre le contrôle de la ville, tous les efforts sont mis pour l'aider à atteindre ce but. Comme l'explique Lucille Dénommé, une amie des frères Vaillancourt, ces derniers sont « toujours prêts à s'entraider », et ce, depuis l'adolescence.

En campagne électorale, la plupart des frères et sœurs de Gilles Vaillancourt sont très présents sur le terrain, se souvient l'ancien journaliste Jean-Claude Grenier. Mais une fois leur frère élu, certains membres de la famille se font plus discrets et quittent la vie publique, se rappelle-t-il. « On ne les voyait que le soir des élections, tous réunis autour de Gilles Vaillancourt. Ou encore à la fête des Mères quand ils mangeaient en famille à l'hôtel Sheraton. Mais il y a des sœurs Vaillancourt qu'on ne voyait même pas lors de ces occasions. On ne les apercevait jamais. »

Manque d'intérêt envers la politique ? Chicane de famille autour de l'héritage de Marcel et de la gestion du magasin de meubles ? Les rumeurs sont nombreuses sur l'absence de l'espace public de certaines des sœurs de Gilles Vaillancourt. On sait d'ailleurs peu de choses de la vie personnelle de Liane.

De leur côté, Marie-Michèle et Lise se tiennent aussi loin du pouvoir, mais ne sont toutefois pas oubliées lorsque le clan fait des affaires. En juillet 2013, le Bureau d'enquête du *Journal de Montréal* révèle que Gilles Vaillancourt, qui a été arrêté par l'UPAC deux mois auparavant, a réalisé une « curieuse transaction financière » de 990 000 $ impliquant son condo à l'île Paton et une compagnie à numéro administrée par ses sœurs Lise et Marie-Michèle.

Lise est aussi administratrice de la Fiducie des érables, une compagnie avec laquelle l'ex-maire transige beaucoup entre 2013 et 2015, soit après son arrestation. Marie-Michèle, elle, remplacera son père comme commissaire à la commission scolaire de Chomedey à Laval, après son décès en 1978. Tout comme son paternel, elle sera très impliquée dans le milieu scolaire durant une bonne partie de sa carrière.

Un quatrième membre de la famille se fait discret, malgré un rôle important sur la scène municipale. Alain Vaillancourt dirige le service des incendies de Laval, de 1990 à 1995, avant d'être nommé directeur adjoint au Service de protection des citoyens. Même s'ils semblent garder leurs distances, Marie-Michèle et Alain n'échapperont pas aux nombreux scandales qui éclaboussent l'administration de leur frère aîné.

Marie-Claire, le bébé de la famille, est un cas à part. Elle est la seule à se détacher du lot des sœurs Vaillancourt. Agente immobilière, Marie-Claire est une femme extravertie qui est de tous les événements de la vie sociale lavalloise, des soirées caritatives aux tournois de golf. Gentille et amicale, elle est appréciée dans les réseaux de femmes d'affaires où, nous a confié une de ses amies de l'époque, elle ne se prive pas de cancaner sur les aventures amoureuses de son grand frère Gilles. Alors directrice des commandites du Groupe Everest, Marie-Claire se retrouve malgré elle citée dans les médias lorsque le journal *Le Devoir* dévoile en 2002 les nombreux liens qui unissent cette firme impliquée dans le controversé programme des commandites et le Parti libéral du Canada. Sans être aussi proche de Gilles que le sont certains de ses frères, Marie-Claire n'est jamais oubliée par son aîné qui veille sur elle à distance.

LA FORCE DE FRAPPE
DES CINQ FRÈRES VAILLANCOURT

Le magasin de meubles MD Vaillancourt est le noyau de la vie familiale des Vaillancourt. Au-delà des intérêts commerciaux, il existe également un fort sentiment d'attachement envers le commerce : il s'agit là du legs du paternel. Luc, Paul et Guy gèrent de près les intérêts de la boutique, en collaboration avec Gilles qui est actionnaire. Cela contribue à garder les frères physiquement et psychologiquement près les uns des autres. C'est ce qui explique en partie pourquoi ses frères compteront toujours parmi les plus proches collaborateurs de Gilles. La carrière politique de l'aîné deviendra en quelque sorte une deuxième entreprise familiale. Les frères Vaillancourt ont tout intérêt à se rassembler derrière Gilles, puisque celui-ci peut leur procurer certains avantages grâce à sa position à la tête de la Ville de Laval.

À ce petit clan s'ajoute aussi Benoit, considéré comme un brillant homme d'affaires doublé d'une âme d'artiste. Les cinq frères se consultent sur tout, des intérêts économiques du magasin à la gouvernance de la Ville de Laval. Chacun excelle dans un créneau particulier, ce qui leur permet de constituer, en tant que fratrie, une force de frappe particulièrement solide.

Paul Vaillancourt est considéré comme le cheval de parade de la famille. À l'aise partout et doté d'un carnet d'adresses bien rempli, l'homme est très influent sur l'île Jésus. Il est proche des libéraux et on a longtemps cru, à Laval, qu'il se présenterait un jour en politique fédérale. Ce qu'il n'a jamais fait, l'homme préférant plutôt œuvrer dans les coulisses du pouvoir.

L'épouse de Paul, Anne Champoux, est décrite par *Le Devoir* comme « l'adjointe de comté de toujours » de Paul Martin lorsque ce dernier devient chef du Parti libéral du Canada (PLC) en 2003. Sous le règne de Martin, Paul sera d'ailleurs nommé président régional du PLC. Signe que la collaboration entre les deux hommes remonte à loin, Paul Vaillancourt avait été envoyé en mission par Paul Martin auprès du Parti libéral du Québec, en 1998. Il devait agir à titre d'organisateur du chef Jean Charest, tel que le rapportait à l'époque un article de *La Presse*.

Même s'il est très branché sur les milieux politiques, c'est davantage dans les affaires que Paul Vaillancourt laissera sa marque alors qu'il occupe la vice-présidence, puis la présidence du conseil d'administration de la Chambre de commerce et d'industrie de Laval de 1982 à 1987. Il demeurera fortement impliqué dans l'association jusqu'en 1990. Paul est donc bien placé pour guider son frère Gilles sur les échiquiers politique et commercial de Laval. Des années plus tard, en 2005, c'est Paul qui rachète MD Vaillancourt à ses frères lorsque l'entreprise bat de l'aile. Mais cela n'empêchera pas l'inéluctable : MD Vaillancourt soumet en 2008 une proposition à ses créanciers en vertu de la Loi sur la faillite, proposition qui est acceptée. L'entreprise, qui comptait alors quelques succursales en sus de son magasin du 2400, boulevard Le Corbusier à Chomedey, ferme alors ses portes.

Guy Vaillancourt, lui, est l'âme commerçante de la famille. C'est un homme aimable qui, pendant longtemps, avait la réputation d'être un individu honnête et avisé, nous a confié une personnalité bien placée du monde des affaires lavallois de l'époque. C'est pourtant le seul membre de la famille Vaillancourt qui aura d'importants démêlés avec la justice, Gilles mis à part. Il est arrêté en même temps que son frère aîné dans le cadre de l'opération Honorer en 2013. On le soupçonne d'avoir aidé Gilles dans ses stratagèmes criminels. Guy est notamment accusé d'actes de corruption dans les affaires municipales, de fraude et d'abus de confiance. Celui qui fait figure de président de la firme familiale MD Vaillancourt est aussi ciblé publiquement par un collecteur de fonds du parti de son frère, lors de son témoignage à la commission Charbonneau, en 2013.

L'ingénieur à la retraite de la firme Tecsult, Marc Gendron, affirme avoir récolté environ 200 000 $ par année, de 1996 à 2003, auprès d'entrepreneurs qui obtenaient en échange des contrats avec la Ville de Laval. À plusieurs reprises, dit M. Gendron à la commission, il est ensuite allé remettre une partie de cet argent à Guy Vaillancourt, dans les locaux de MD Vaillancourt. En avril

2017, le Directeur des poursuites criminelles et pénales dépose finalement un arrêt des procédures dans le dossier de Guy en raison de la longueur du processus judiciaire, faisant tomber toutes les accusations qui pesaient contre le commerçant qui ne subit pas de procès.

Luc Vaillancourt est l'avant-dernier enfant de la fratrie. C'est peut-être le plus instable du groupe. « C'est dur comme propos, mais ce n'est pas le plus avisé de la *gang* ni celui qui a étudié le plus longtemps », glisse un proche de la famille. Néanmoins, ses frères tiennent à l'impliquer dans toutes les prises de décision ; pas question de laisser « ti-Luc » derrière. Vice-président de la firme Lovatech, Luc travaille dans le domaine de la construction résidentielle.

En juin 2013, le quotidien *The Gazette* dévoile qu'un agriculteur a été forcé de vendre sa terre pour une bouchée de pain en 2011 après que l'administration Vaillancourt a augmenté ses taxes foncières de 700 %. C'est nul autre que Luc Vaillancourt qui aurait cogné à sa porte pour lui offrir de racheter sa terre, au rabais. L'illustration parfaite de l'un de ces « beaux hasards » qui favorisent si souvent les intérêts des Vaillancourt pendant le règne de Gilles.

Enfin, Benoit complète la garde rapprochée du maire. Le designer est le fondateur de la compagnie Vaillancourt associés designers (VAD). À Laval, on chuchote dans le milieu des affaires qu'il est de bon ton de recourir à cette petite compagnie de design pour refaire le look de ses bureaux de temps à autre ; le maire « aime » que l'on fasse travailler la firme de son frère. Très près de Gilles, Benoit est un homme organisé et très efficace. Mais il est aussi reconnu pour son tempérament volcanique. Une de ses employés nous a confié l'avoir déjà vu lancer un téléphone par la fenêtre, exaspéré d'entendre la ligne grésiller. « C'était son genre de réagir comme cela, de crier s'il était fâché », nous a aussi indiqué cette source qui a exigé l'anonymat par peur de représailles.

C'est donc vers Paul, Guy, Luc et Benoit que Gilles Vaillancourt se tourne lorsqu'il a besoin de conseils ou d'aide sur le terrain. « Le maire Vaillancourt n'avait pas d'éminence grise. Personne ne le conseillait. Mais il était proche de ses frères, et ses frères étaient assez proches de lui. À la Ville, il y avait certains messages qui se passaient uniquement par [le biais de] Benoit Vaillancourt », expose l'ingénieur Claude Vallée. Plusieurs conseils de famille se tiennent en secret dans le bureau du maire ou chez MD Vaillancourt. Le ton monte souvent, mais les frères en arrivent toujours à un accord. Il devient habituel, pour les fonctionnaires, de voir Benoit et Paul déambuler comme des habitués dans les corridors de l'hôtel de ville.

UNE PROXIMITÉ FAMILIALE QUI DÉRANGE

La promiscuité entre les membres de la famille du maire et le pouvoir commence à devenir gênante. D'autant plus, lorsqu'on se rend compte que cela va bien au-delà de la simple consultation sur les affaires courantes de la Ville ou encore d'une forme de bénévolat pour le PRO des Lavallois.

Au fur et à mesure que les années passent, plusieurs enquêtes journalistiques soulèvent des doutes à savoir que la famille Vaillancourt bénéficierait d'avantages en raison de l'intervention du maire. Gilles Vaillancourt favoriserait l'octroi de contrats à ses proches. Par exemple, en 2010, le maire se trouve plongé dans une controverse lorsque *Le Devoir* découvre que c'est la firme de génie AXOR qui a remporté en 2004 le contrat de construction du nouveau quartier général de la police de Laval, pour un montant de 10,3 millions $.

Le hic, c'est que la fille du maire, Marie-Josée Vaillancourt, est vice-présidente au développement chez AXOR et que le contrat de design intérieur de l'édifice a été confié à VAD, dirigé par nul autre que Benoit Vaillancourt, le frère du maire. En plus des apparences de conflit d'intérêts, le coût du projet ne cesse de grimper pour atteindre finalement un montant de 22 millions $, comme le rapporte *Le Devoir*. Contactée par le quotidien, Marie-Josée se défend vivement : « Je ne veux pas de problèmes. Je fais ma vie. Ce n'est pas ma faute si mon père est maire de Laval. J'ai le droit de gagner ma vie et de travailler. » La Ville, elle, plaide que Vaillancourt n'est jamais intervenu dans le processus décisionnel d'attribution du contrat. Le lendemain de la parution de l'article, AXOR publie également un communiqué dans lequel la firme dénonce ces allégations « tendancieuses et injustifiées ».

Le contrat du poste de police mis à part, on n'entend presque jamais parler de la fille de Vaillancourt, Marie-Josée. Elle demeure discrète et on ne sait pratiquement rien d'elle, sinon qu'elle est très proche de ses parents.

Par ailleurs, dans ce cas, l'expression « telle mère, telle fille » s'applique largement. Tout au long de la carrière de son mari, Francine n'a cessé, elle aussi, de fuir l'attention médiatique. Elle refuse presque toutes les présidences d'honneur qu'on lui offre en tant que femme du maire. Habillée toujours sobrement et sans trop de bijoux, elle n'accompagne son mari que lors des soirées officielles d'importance. « La discrétion de Francine Dupuis a toujours étonné. Quand elle accompagnait le maire, elle restait toujours en retrait et s'impliquait peu dans les échanges à la table. Elle occupait davantage un rôle d'accompagnatrice que celui de première dame de Laval », affirme l'ancien journaliste Jean-Claude Grenier, qui l'a souvent côtoyée. Cette attitude semble convenir au maire qui aime bien garder son intimité à distance des curieux.

À tort ou à raison, on chuchote que l'omniprésence des Vaillancourt à l'hôtel de ville leur permet d'assurer l'intérêt et la croissance du portefeuille familial. Ou de celui de leurs amis. Un cas fait particulièrement sourciller. C'est celui de la construction d'un manège militaire à Laval par la Défense nationale. En 1992, Me Robert Talbot, l'avocat d'affaires des Vaillancourt, et l'homme d'affaires Georges Despatie achètent pour 235 000 $ les parts de la famille Vaillancourt dans un terrain du boulevard Le Carrefour, près de l'autoroute 15. Quelques mois plus tard, ils revendent le même terrain à la Défense nationale pour la construction du manège, pour la somme de 2 millions $. Selon un article de *La Presse*, c'est le cabinet du ministère de la Défense qui serait intervenu « au nom de la Ville de Laval » pour que ledit terrain soit inclus dans la liste des terrains envisagés par les fonctionnaires pour la construction du futur manège militaire. La Ville nie de son côté avoir fait pression pour mousser le terrain aux yeux de l'organisme fédéral.

Puis, en 1996, on apprend dans *La Presse* que les cadres du Service de protection des citoyens de Laval, dont le directeur adjoint est Alain Vaillancourt, ont reçu une formation en éthique de deux jours donnée par sa sœur, Marie-Michèle Vaillancourt. C'est Jean-Marc Aurèle, patron du service de protection et d'Alain Vaillancourt, qui a recommandé l'embauche de Marie-Michèle à l'Institut de police du Québec pour ce cours. Cette dernière est l'unique employée d'une entreprise de formation fondée seulement quelques mois auparavant. En entrevue avec le journal, M. Aurèle défend son choix en expliquant que Mme Vaillancourt « était la seule au Québec à avoir développé une expertise dans un domaine aussi pointu que l'éthique dans un changement d'organisation ». Selon *La Presse,* le maire Vaillancourt ne siégeait pas lorsque la résolution a été adoptée pour faire suivre cette formation à 22 cadres. Encore une fois, il se défend vivement de pratiquer toute forme d'ingérence au profit de sa famille. Mais les cas continuent de s'accumuler dans les journaux.

Tout comme pour les services de design de son frère Benoit, la rumeur court voulant que les services de courtage immobilier de Marie-Claire Vaillancourt soient requis dans toutes les transactions importantes à Laval, sous peine de déplaire au maire. En 2013, *La Presse* dévoile que l'administration Vaillancourt a versé une commission de 45 000 $ à Marie-Claire en 2009, en lien avec l'achat d'un terrain de la Ville pour la construction du siège social du Groupe Couche-Tard. Couche-Tard indique faire affaire avec Mme Vaillancourt depuis huit ans et affirme que tout s'est fait selon les « règles applicables ». Marie-Claire, elle, ne commente pas le reportage.

Le clan Vaillancourt est indissociable durant les longues années de Gilles à la mairie. La présence assidue de ses frères permet au maire de gérer l'hôtel de ville à sa manière, certain que ses arrières sont assurés et que le patrimoine familial continue de fructifier. En retour, les proches du maire sont confiant d'obtenir, sinon un traitement privilégié, du moins de l'écoute et du soutien de l'homme le plus puissant de Laval.

LA CLIQUE À GILLES

Même si c'est ce qu'il préférerait secrètement, Gilles Vaillancourt ne peut pas compter que sur lui-même ou sur ses frères pour contrôler complètement la troisième plus grande ville du Québec. Il a besoin d'exécutants pour s'assurer que la machine est parfaitement huilée et qu'elle fonctionne rondement. Jamais il ne sera réellement proche des fonctionnaires, des hommes d'affaires et des élus qui forment la « clique à Gilles ». Jamais il ne se confiera à eux ou les laissera apercevoir l'ensemble de ses activités criminelles. Le maire tient à tout diriger lui-même. Mais il utilisera à fond « ses » gens pour s'enrichir et contrôler Laval.

Il est compliqué de diriger une organisation criminelle tout en gérant une grande ville. Il ne peut pas se permettre que ses instructions soient, en plus, contestées ou mal comprises. Le maire s'assure donc de placer de fidèles et obéissants collaborateurs à tous les postes-clés à la Ville de Laval. Peu lui importe si, pour cela, il doit faire fi de l'ancienneté des fonctionnaires ou de leurs compétences.

Pierre Lafrance a été à même de constater cette façon de faire. Ingénieur spécialisé en environnement, l'homme travaille à la Ville de Laval depuis quelques années déjà lorsqu'il est nommé directeur par intérim du service de génie en janvier 1996. Plus d'un an plus tard, lorsqu'un concours est mis en place pour pourvoir le poste de façon permanente, M. Lafrance dépose sa candidature. C'est alors que Claude Vallée lui dévoile que les dés sont pipés. « Claude Vallée m'a dit que le prochain directeur s'appellerait Claude Deguise », explique Pierre Lafrance. C'est que Vaillancourt a d'ores et déjà décidé que Deguise occuperait le poste et personne d'autres. Le concours n'a été ouvert que pour sauver les apparences et le fait que M. Lafrance, un cadre honnête, tente sa chance vient en plus crédibiliser l'exercice. Ce dernier, furieux, retire sa candidature et Claude Deguise obtient effectivement l'emploi. « À qui pouvais-je dénoncer ça ? À Vaillancourt lui-même ? C'était l'omerta, à l'époque. Il n'y avait personne à qui se confier », se souvient M. Lafrance. En 1999, ce dernier quitte la Ville de Laval.

Souvenirs de Noël

Pour Jacques Olivier, maire de Longueuil

C'est le temps des retrouvailles de la famille...

LONGUEUIL – Le maire de Longueuil, Jacques Olivier, considère que le temps des fêtes est le temps par excellence pour les retrouvailles familiales, lui qui célèbre avec fidélité le réveillon de Noël.

JEAN MAURICE DUDDIN

Issu d'une famille d'origine modeste de sept enfants, Jacques Olivier se souvient que le Noël, pour lui, c'était de partir avec ses frères, ses sœurs et ses parents pour Saint-Alphonse-de-Rodriguez où sa grand-mère tenait le bureau de poste.

«On se retrouvait avec nos cousins et cousines dans le dortoir, à l'étage, et nous entendions, en soirée, ma grand-mère qui oblitérait les lettres à la main.

«Lors d'un réveillon, nous étions partis à la recherche du père Noël dans le bureau de poste.

«Et l'on s'était mis à estampiller les lettres. On n'a jamais trouvé le père Noël mais ma grand-mère, elle, nous a trouvés», raconte en riant le maire de Longueuil.

Devenus orphelins de père, Jacques Olivier, 16 ans, et ses quatre frères et deux sœurs ont vécu très près les uns des autres, souvent plus par obligation.

Les enfants à la cave

«Nous étions pauvres. Pour arriver, on avait des pensionnaires, des chambreurs.

«Donc nous, les enfants, dormions à la cave. On séparait les gars des filles par des couvertures pendues à une corde à linge. Comme la maison était chauffée au charbon, c'était la corvée des gars, la nuit, chacun sa semaine, de se lever pour ajouter du charbon dans la chaudière. Les filles, elles, avaient la corvée de la vaisselle.»

L'habitude de cette fraternité s'est maintenue au fil des ans. «Ma femme est issue d'une famille de 12 enfants, dont 10 filles. Nous réunissons les deux familles presque à chaque Noël, chez moi. Ça fait beaucoup de monde. J'aime ça », dit simplement M. Olivier, père de deux enfants et grand-père de deux petits-enfants.

En ces temps de réjouissances, le maire de Longueuil n'a qu'un seul vœu à offrir à ses commettants, celui de la santé.

«Sans la santé, on ne peut rien faire. C'est ce que je souhaite à tous, la santé. »

Photo d'ARCHIVES
LA FAMILLE est au cœur des festivités du temps des fêtes de Jacques Olivier que l'on voit ici, vers l'âge de six ans, avec son père, Alphonse.

Pour Gilles Vaillancourt, maire de Laval

Des fêtes passées sous le signe des valeurs familiales

LAVAL – La fête de Noël est l'événement des retrouvailles familiales de l'année chez les Vaillancourt. De tout temps, c'est la fête de la famille où l'on partage, nombreux.

JEAN MAURICE DUDDIN

Le maire de Laval, Gilles Vaillancourt, est l'aîné d'une famille de dix enfants.

S'il y a 26 ans que son père est décédé, les traditions familiales sont restées ancrées chez les Vaillancourt.

D'origine modeste, le père Vaillancourt a trimé dur pour bâtir son commerce et chérir sa nombreuse famille.

Et d'aussi loin que se rappelle Gilles Vaillancourt, il fallait une dispense spéciale – lire que c'était formellement interdit – pour ne pas être présent au réveillon du 24 décembre.

«Même une fois que nous avons fondé nos propres familles, on se devait tous d'être là, se remémore, un sourire dans les yeux, le maire, père d'une fille maintenant adulte.

Noël, c'est donc avant tout une rencontre de famille.

«Quand mon père était là, on se réunissait tous dans la grande salle familiale.

«C'est là qu'on échangeait, qu'on se racontait nos affaires, que les enfants recevaient les cadeaux. »

La tradition se perpétue

Maintenant, à titre d'aîné, M. Vaillancourt loue une salle dans un restaurant et là, de nouveau, la tradition se perpétue.

«Chaque personne prend la parole, à son tour, pour nous raconter ce qui lui arrive, ce qu'elle vit.

«Tous les membres de la famille y participent, des plus âgés aux plus jeunes.

C'est donc l'occasion pour la famille de se raconter.

«C'est là qu'on apprend ce que chacun vit, fait.

Photo d'ARCHIVES
UNE VIEILLE PHOTO de famille. Gilles Vaillancourt est assis sur les genoux de son défunt père, Marcel. À gauche, sa mère, Denise, toujours vivante et bien présente dans la vie familiale.

qu'on découvre les nouveaux bébés et qu'on voit celles qui nous combleront d'un nouveau venu pour Noël l'année suivante. »

Un souhait

«C'est là qu'on se revoit,

te de l'occasion pour souhaiter des joyeuses fêtes aux Lavallois.

«Que la croissance exceptionnelle qu'a connue Laval au cours des dernières années se...

À droite, une rare photo du jeune Gilles Vaillancourt sur les genoux de son père Marcel et aux côtés de sa mère Denise, publiée dans les pages du *Journal de Montréal* lors d'une édition spéciale de Noël en 2003.

Le Journal de Montréal

Élu échevin pour la première fois le 4 novembre 1973, Gilles Vaillancourt siège ici au Conseil de ville pour le district Laval-des-Rapides dans le parti du maire Lucien Paiement.

Bibliothèque et Archives nationales du Québec

Élu comme conseiller de l'équipe Lucien Paiement pour une troisième fois consécutive, Gilles Vaillancourt console son chef de parti déçu de l'annonce des résultats de sa défaite à la mairie, le 2 novembre 1981. Claude Ulysse Lefebvre sera élu maire pour la première fois à la suite de cette défaite.

Le Journal de Montréal

Gilles Vaillancourt, conseiller municipal de Laval en 1982. Deux ans plus
tard, il se joindra au parti PRO des Lavallois, présidé par Claude-Ulysse
Lefebvre, où il siégera au comité exécutif.

Gilles Vaillancourt est élu maire pour la première fois le 5 novembre 1989, à la tête du Parti PRO des Lavallois. Il célèbre sa victoire en une du *Journal de Montréal.*   *Le Journal de Montréal*

Une pancarte électorale du PRO des Lavallois en 2001. Les conseillers du PRO gagnent les 21 sièges du conseil lors de cette élection, aucun membre de l'opposition n'est élu à l'hôtel de ville. *Le Journal de Montréal*

Le 18 mars 2002 sont lancés les travaux de construction pour le prolongement du métro à Laval. Sur place, Serge Ménard, Bernard Landry et Gilles Vaillancourt annoncent la nouvelle.

André Viau / *Le Journal de Montréal*

Créée en hommage au père du maire en 1981, la Fondation Marcel Vaillancourt amassait des fonds pour les enfants vulnérables de Laval. La communauté d'affaires de Laval ne rate pas l'occasion de participer au souper de homards annuel. Sur cette photo, on peut voir Gérard Proulx, Réal Plourde, Gilles Vaillancourt, Raymond Kerouach et Giuseppe Borsellino, à la soirée du 17 juillet 2003. *Le Journal de Montréal*

Les frères Vaillancourt à l'inauguration du magasin MD Vaillancourt de Laval le 13 février 2004. Sur la photo, Benoît, Paul, Guy, Luc, Gilles et Alain Vaillancourt. Le magasin fera faillite en 2008.
Rodger Brulotte / *Le Journal de Montréal*

Conférence de presse sur les prolongements du métro à Laval, à Montréal et à Longueuil, le 16 septembre 2009. À la même table Jean Charest,
Gérald Tremblay, Gilles Vaillancourt et Claude Gladu.

Luc Cinq-Mars / *24 Heures* / Agence QMI

Le maire, très proche de ses concitoyens, fait lui-même du porte-à-porte et discute avec de potentiels électeurs dans le quartier Renaud, à Laval, le 7 octobre 2009. Mathieu Turbide / *Le Journal de Montréal*

Le 1er novembre 2009, c'est jour d'élection municipale à Laval. Le maire Gilles Vaillancourt met son bulletin de vote dans l'urne.

Thierry Avril / *Le Journal de Montréal*

Gilles Vaillancourt est réélu maire le 1er novembre 2009 à Laval. Ce sera les dernières élections qu'il remportera.

Marc Pigeon / *Le Journal de Montréal*

Gilles Vaillancourt tient une conférence de presse le 16 novembre 2010 où il nie toutes les accusations sur les premières allégations de tentative de corruptions faites par Serge Ménard et Vincent Auclair à son sujet.   Sebastien St-Jean / *24 Heures* / Agence QMI

Des policiers de l'Unité permanente anticorruption (UPAC) perquisitionnent l'hôtel de ville de Laval situé sur la place du Souvenir, le 4 octobre 2012 dans le cadre d'une enquête criminelle majeure. La même journée, le domicile du maire Gilles Vaillancourt sera également perquisitionné. Maxime Deland / Agence QMI

L'Unité permanente anticorruption (UPAC) mène, le mardi 20 novembre 2012, en après-midi, une perquisition dans les bureaux du PRO des Lavallois. Le parti a été dissous la veille après 30 ans au pouvoir. Martin Alarie / L'Écho de Laval / Agence QMI

Gilles Vaillancourt et sa femme, Francine, lors des funérailles de l'ancien maire de Laval Lucien Paiement, le mardi 29 janvier 2013 à l'église Saint-Élzéar, dans le quartier Vimont.

Martin Alarie / *L'Écho de Laval* / Agence QMI

Des caméramans et des photographes entourent le fourgon cellulaire qui amène Gilles Vaillancourt au Palais de justice de Laval pour sa comparution le jour de son arrestation, le 9 mai 2013. En tout, 37 personnes vont être accusées relativement à un stratagème de collusion et de corruption dans l'octroi des contrats municipaux.

Martin Alarie / *L'Écho de Laval* / Agence QMI

Gilles Vaillancourt et quelques-uns de ses complices dans le box des accusés le 9 mai 2013. Ils écoutent la juge lire les chefs d'accusation auxquels ils font face.   Delf Berg / Agence QMI

Un Gilles Vaillancourt pensif à sa sortie du palais de justice, le 9 mai 2013, dans la voiture qui le ramène à la maison.   Jocelyn Malette / Agence QMI

L'ex-maire de Laval, Gilles Vaillancourt, se dirige vers la salle de cour du palais de justice de Laval, le 1er décembre 2016, où il reconnaîtra sa culpabilité des accusations de fraude, d'abus de confiance, de complot et de corruption.   Maxime Deland / Agence QMI

Le 17 décembre 2017, Gilles Vaillancourt devant la maison de transition Carpe Diem, située dans un parc industriel de l'île Jésus, quelques jours après sa libération.

Martin Alarie / *Le Journal de Montréal*

L'ancien directeur des ressources humaines de la Ville, Martin Fiset, confirme les dires de Pierre Lafrance. « Vers la fin des années 1990, c'était le cas type. [Deguise] vient d'une firme extérieure. C'est un gars qui connaissait ce qui se passait. Il était utilitaire. On va le mettre là et on peut faire un peu ce que l'on veut avec. Est-ce qu'il avait les compétences pour ce poste-là ? [...] Ce n'est pas un gestionnaire. Être un ingénieur et gérer un service municipal, c'est deux choses. Pis lui, la partie de la gestion, c'est zéro pis une barre », explique-t-il.

Avant d'arriver à la Ville de Laval, Claude Deguise était ingénieur chez l'entreprise Dessau et chargé de gérer les relations avec le milieu municipal. La firme a été proche du pouvoir sous l'ère Vaillancourt et son ancien vice-président Rosaire Sauriol a plaidé coupable en septembre 2017 à « un acte ponctuel de corruption » survenu en 2008, toujours sous l'ère Vaillancourt, et pour lequel il a dû payer une amende de 200 000 $. Lors des audiences de la commission Charbonneau, plusieurs témoins décriront Claude Deguise comme le responsable du partage des contrats truqués entre les firmes de génie. C'était, en quelque sorte, l'un des hommes de confiance du maire, responsable de faire fonctionner rondement le système. En juillet 2017, il a écopé de 30 mois de prison pour sa participation au système de corruption.

En tant que responsable de la gestion des employés de la Ville, Martin Fiset est extrêmement bien placé pour observer les méthodes de Vaillancourt qui impose ses candidats. Cela ne touche que les postes jugés importants par le maire et qui sont au sommet de la hiérarchie décisionnelle, comme les directions de service. Selon M. Fiset, Vaillancourt pèse de tout son poids lorsque vient le temps de nommer quelqu'un à l'ingénierie, aux travaux publics ou à l'urbanisme, des postes qu'il estime être dans des « zones sensibles ». Tout cela se fait sans heurts et en toute légalité puisque le maire contrôle entièrement le comité exécutif qui doit recommander au conseil municipal les nominations pour les directions de service. Le tout est ensuite entériné par le conseil municipal via une résolution, une procédure qui se fait quasiment automatiquement puisque le PRO des Lavallois y est toujours majoritaire.

Ainsi, tous ces postes que l'on dit « sensibles » sont peu à peu octroyés à un proche de Vaillancourt et la « clique à Gilles » devient majoritaire à l'hôtel de ville. « Elle était assez nombreuse, plus le temps passait. Les gens qui travaillaient de près avec lui s'accumulaient [à la mairie] », affirme M. Fiset qui se dit persuadé d'avoir pu obtenir son propre poste uniquement parce que celui-ci n'était pas jugé comme étant stratégique par le maire.

Un autre exemple d'un proche du maire installé à un poste de confiance est celui de Claude Asselin, directeur général de la Ville de 1989 à 2006. Ce dernier a été l'un des plus fidèles collaborateurs de Vaillancourt. Il a plaidé coupable le 3 octobre 2017 à des accusations d'abus de confiance, de complot, de fraude de plus de 5000 $ et de corruption dans les affaires municipales. Il purge une peine d'incarcération ferme de deux ans moins un jour.

Lors de son témoignage à la commission Charbonneau, Asselin avait déclaré que Vaillancourt décidait seul du partage des contrats entre les firmes de génie, mais qu'il avait transmis à quelques reprises les demandes du maire à cet effet au directeur du service de l'ingénierie, Claude Deguise. « J'avais peur de gâcher l'emploi que j'aimais », s'était-il justifié.

Selon l'ancien journaliste Jean-Claude Grenier, le cas de Claude Asselin illustre à merveille le type de personne qui forme la garde rapprochée de Gilles Vaillancourt. « Vaillancourt avait un très grand contrôle sur Asselin. C'était sa marionnette. Ce dernier avait des lignes de conduite de Vaillancourt à suivre. Il devait exécuter ce que Vaillancourt lui avait donné comme carnet de commandes [...] Claude Asselin a confié à des proches que je connais bien qu'il était pris au piège de Gilles Vaillancourt. Il a décrit sa situation comme un insecte pris dans une toile d'araignée [...] Il était conscient qu'il s'était mis dans le pétrin en servant de messager à son patron », explique-t-il.

Peu à peu, Gilles Vaillancourt réussira à placer des hommes de confiance à tous les postes importants de la Ville, s'assurant ainsi d'une obéissance et d'une discrétion à toute épreuve de la part de ses subalternes à la mairie.

Ainsi, il se forme, au fil du temps, deux clans à l'hôtel de ville : « la clique à Gilles » et la *gang* des « pas de *gang* », comme le résume Martin Fiset. D'un côté, donc, les gens qui sont proches du pouvoir, qui participent à toutes les activités de financement du PRO des Lavallois et qui ont un accès privilégié au maire. De l'autre, des fonctionnaires et des cadres qui sont hors du cercle décisionnel et qui se limitent à bien faire leur travail, point à la ligne. « Il n'y avait pas d'intimidation ou de menaces. Tu sentais juste que tu ne faisais pas partie de la haute société. Mais ça ne t'empêchait pas de fonctionner », explique M. Fiset.

Les seuls désagréments réels à ne pas faire partie de la cour du Monarque sont les possibilités limitées d'avancement et un accès restreint au maire. Selon Pierre Lafrance, il est très difficile pour les employés qui ne font pas partie de la garde rapprochée du maire de faire le suivi des projets en cours avec lui.

Le bureau de Gilles Vaillancourt est la parfaite illustration de la façon dont les choses se déroulent à la cour du roi de Laval. Fonctionnaires et cadres doivent d'abord passer par une « salle d'attente » attenante au bureau du maire et patienter avant de le rencontrer. C'est en réalité un espace vide où l'on retrouve quelques chaises et qui fait figure d'antichambre avant l'obtention d'une audience avec le maire. Tous y passent, sauf les membres de la clique. Même le plus haut gestionnaire des ressources humaines de la Ville doit prendre son mal en patience et laisser passer devant lui les amis du pouvoir, pendant qu'il poireaute dans l'antichambre. « Il y a des gens qui passaient directs en disant : "Gilles m'attend". C'étaient des gens d'ingénierie, des services professionnels, de l'exécutif », explique M. Fiset. L'antichambre et le bureau du maire Vaillancourt entrent peu à peu dans la légende à l'hôtel de ville. L'administration suivante, sous l'égide de Marc Demers, surnomme ces pièces le « bunker » et change immédiatement cette façon de faire.

Dans l'antichambre, Martin Fiset observe aussi le passage d'autres membres de la « clique à Gilles » qui ne sont pas des employés de l'hôtel de ville et qui ont pourtant droit aux mêmes passe-droits : des entrepreneurs et des investisseurs accèdent directement et sans attente au bureau du premier citoyen de Laval.

Ces hommes d'affaires qui passent sans hésiter devant les fonctionnaires forment la « mafia institutionnelle » de Laval, qui fait la pluie et le beau temps à l'hôtel de ville, selon Martin Fiset. Composée d'entrepreneurs et de joueurs importants de l'immobilier, elle n'a pas besoin de se cacher pour mener ses activités. Au contraire, elle sait parfaitement comment tirer les ficelles des différentes structures de la Ville pour arriver à ses fins rapidement et sans subir les aléas de la bureaucratie.

À l'hôtel de ville, on les appelle les « gros gars ». « Ça se passait comme ça. Quand tu as un gros projet dans lequel tu veux investir plusieurs millions de dollars, tu rencontres le maire directement [...] Le gars, il n'ira pas prendre un numéro dans la roulette et attendre. Il arrive avec du café et des beignes [pour rencontrer le maire]. C'est une façon de faire de la gestion. Est-ce que ces gens-là suivaient la filière habituelle ? Non », explique M. Fiset.

La situation n'est pas sans provoquer la grogne parmi les fonctionnaires qui, eux, peinent à faire avancer leurs dossiers et à rencontrer le maire. « Je voyais le maire peut-être deux ou trois fois par mois. J'ai eu deux tête-à-tête avec lui. Fort probablement que mes dossiers l'intéressaient moins. Si j'avais fait du *fling-flang*, il m'aurait sûrement rencontré plus souvent », croit l'ancien directeur des ressources humaines de la Ville.

Certains de ces hommes d'affaires importants semblent être particulièrement proches du maire. C'est notamment le cas de Tony Accurso, l'un de ces entrepreneurs arrêtés en même temps que lui en 2013. Plusieurs témoins se rappellent à quel point il avait un accès privilégié à l'hôtel de ville. L'homme est la parfaite illustration de l'entrepreneur qui brasse de grosses affaires à Laval et qui semble bénéficier d'une oreille particulièrement attentive du maire Vaillancourt. En 2009, *La Presse* dévoilait qu'un groupe de huit entrepreneurs s'est partagé 75 % des sommes « versées par la Ville de Laval pour ses travaux de voirie et d'infrastructures » entre 2001 et 2008. Tony Accurso, à lui seul, aurait obtenu le quart de l'argent versé. « Il est de notoriété publique que M. Accurso a ses entrées directes dans le bureau du maire Gilles Vaillancourt », écrivent dans leur reportage les journalistes André Noël et Bruno Bisson. « On voyait qu'ils étaient très intimes, le maire et lui. Quand ils se voyaient, ça s'embrassait presque, même s'ils disaient qu'ils n'étaient pas intimes », se souvient aussi le conseiller du PRO des Lavallois, Jean-Jacques Lapierre.

UNE « AMITIÉ » QUI A UN PRIX

Tous ces « amis » de Gilles Vaillancourt ont certes un accès privilégié au maire, mais un tel avantage comporte toutefois un prix à payer. Si on veut obtenir sa part des contrats ou encore influencer le premier citoyen pour tel ou tel projet, encore faut-il être prêt à investir temps et argent. À part pour sa famille, le maire Vaillancourt ne fait rien gratuitement et les contributions illicites à son parti sont le strict minimum pour lui. Il s'attend à plus de la part de certains membres de sa clique, plus particulièrement des gens d'affaires.

La Fondation Marcel-Vaillancourt pour l'enfance lavalloise représente une bonne façon de « remercier » le maire pour son temps et son attention. Créée en hommage au père du maire en 1981, cette fondation amasse des fonds pour les enfants vulnérables de Laval. Sur son site Web, on peut lire que près de 3,8 millions $ ont été versés au fil du temps aux organismes lavallois d'aide à l'enfance. Sous l'ère Vaillancourt, c'est toute la communauté d'affaires qui se bouscule au portillon pour faire partie de son conseil d'administration, où l'on retrouve notamment Benoit, Luc et Marie-Claire Vaillancourt.

La fondation familiale sert de levier politique au maire puisqu'elle offre des opportunités de rencontres et d'échanges entre les entrepreneurs et la Ville. Des gens de tous les horizons y siègent : des entrepreneurs reconnus comme Giuseppe Borsellino, du Groupe Pétra, Robert Bibeau, de Schokbeton, ou encore Jean-Pierre Sauriol, de Dessau. On retrouve aussi des avocats comme Gilles Laporte, de la firme Dunton Rainville. Enfin, un dirigeant de Cima+, Kazimir Olechnowicz, dirige la fondation. Certaines de ces firmes – Cima +, Dessau et Dunton Rainville – seront plus tard éclaboussées dans les scandales de l'administration Vaillancourt.

Un ancien membre du conseil d'administration a accepté de nous raconter le fonctionnement de l'organisation. Selon lui, toutes les entreprises qui obtiennent des contrats grâce aux stratagèmes de fraude mis en place par Vaillancourt sont aussi « invitées » à donner généreusement à la fondation. C'est un moyen sûr de plaire au plus haut dirigeant de la Ville. Tout le monde participe notamment au célèbre dîner de homards à volonté, organisé chaque année par le conseil d'administration. « Personne ne manquait cet événement, parce que c'est là que se faisait la *business* pour le reste de l'année. Ça se faisait au Cosmodôme et le billet coûtait 125 $ par personne. Le maire vient à chaque table. Toute la famille Vaillancourt est présente. Pis là, tu prends un coup et tu manges. Ça ne se termine pas avant 16 h l'après-midi », nous a raconté cette source bien placée.

Selon elle, les réunions du conseil d'administration de la fondation servent essentiellement à organiser cette activité annuelle et à déterminer « quelles nouvelles entreprises à Laval pourraient contribuer. Et comment on peut leur tordre le bras pour qu'elles contribuent. » Ainsi, la fondation devient vite florissante et jouit d'une santé financière solide. Toute personne un tant soit peu proche du maire se doit de participer d'une manière ou d'une autre à cet organisme de charité. Pour les « amis » de Vaillancourt, cela leur permet de faire d'une pierre deux coups : se donner bonne conscience tout en faisant plaisir au maire.

En échange de leur complaisance ainsi que de leurs généreux « dons » au PRO des Lavallois et à la Fondation Marcel-Vaillancourt, la « clique à Gilles », formée de conseillers du PRO, d'hommes d'affaires et d'investisseurs, recevra amplement sa part du gâteau au fil des ans. Le maire se montre généreux à l'endroit de ceux qu'il appelle ses amis (sans qu'ils le soient réellement), d'où les nombreux scandales qui seront déterrés au fil du temps par les journalistes d'enquête.

Si on ne peut lier tous les reportages journalistiques directement au système de collusion qui sévit à Laval, il n'en reste pas moins que ceux-ci semblent démontrer l'existence d'un certain favoritisme du maire par rapport à différents entrepreneurs et hommes d'affaires.

Par exemple, *La Presse* rapporte que la Ville de Laval a cédé au rabais deux très grands terrains à Giuseppe Borsellino, une très bonne connaissance du maire Gilles Vaillancourt qui s'est d'ailleurs impliqué dans la fondation Marcel-Vaillancourt. En 2011, c'est au tour de l'Agence QMI de lever le voile sur des attributions de contrats qui peuvent paraître douteuses. Ainsi, on apprend que le cabinet d'avocats Dunton Rainville a obtenu plus de 25 millions $ en contrats de la Ville en l'espace de 12 ans. « Les exigences des appels d'offres étaient si précises et si restrictives qu'elles semblent avoir favorisé Dunton Rainville, tout en décourageant les offres rivales », peut-on lire. On apprend du même coup que le bureau de la firme aurait bénéficié d'une évaluation foncière sous le prix de vente de l'édifice pendant plus de 16 ans. L'Ordre des évaluateurs agréés du Québec démarre une enquête. Et ce ne sont là que quelques exemples des cas soulevés par les journaux au fil des ans.

L'existence de cette « clique » ne fait aucun doute et montre clairement que toute relation avec le maire est basée sur le donnant-donnant. Au détriment de son administration, Gilles Vaillancourt prête oreille et distribue à son gré les contrats aux joueurs importants de la construction et de l'immobilier à Laval. Mais le maire ne fait jamais rien gratuitement, même pour « ses amis ».

SON CONTRÔLE DES MÉDIAS

Le maire Vaillancourt se soucie énormément de ce qui peut être dit sur lui ou sur sa ville dans les médias. Au fil du temps, Gilles Vaillancourt tentera tout ce qui est en son pouvoir pour mettre de son bord les journalistes qui couvrent l'hôtel de ville, que ce soit de leur plein gré ou par la force. Cette soif de contrôle absolu n'a que peu d'impacts sur les médias nationaux – et donc indépendants financièrement de Laval – comme *Radio-Canada, Le Devoir* ou *Le Journal de Montréal*. Mais pour le journal local le plus lu de l'île Jésus, le *Courrier Laval*, le poids financier de la Ville – son plus important annonceur – se fait sentir et les rares journalistes à s'opposer au maire en paient le prix.

Le *Courrier Laval* est une véritable institution à Laval. Il n'est pas exagéré de dire que cet hebdomadaire, fondé en 1945 par des hommes d'affaires lavallois, est lu par à peu près tout le monde sur l'île Jésus dans les années 1980 et 1990. C'est tout à la fois le *who's who* lavallois, un média qui traite sérieusement de la politique locale et un outil de référence pour savoir ce qui se passe d'un bout à l'autre de l'île. Malgré plusieurs essais, aucun autre hebdomadaire n'a réussi à s'enraciner aussi bien que « le *Courrier* » au sein de la communauté lavalloise. Gilles Vaillancourt est le premier à reconnaître l'importance de ce média local.

Jean-Claude Grenier a été journaliste municipal au *Contact Laval* pendant un an en 1978, puis au *Courrier Laval* jusqu'à la fin des années 1990. Pendant des décennies, il a côtoyé le maire Vaillancourt plusieurs fois par semaine. Il a ainsi pu constater l'emprise de Vaillancourt sur les médias locaux. Pour ce faire, Vaillancourt développe une double stratégie : il flatte et cajole les journalistes pendant qu'il se rapproche de leurs patrons.

« Vaillancourt tentait beaucoup de se rapprocher [de moi]. Il savait que mon éditeur avait un penchant pour le pouvoir », nous a confié M. Grenier.

L'ex-journaliste affirme carrément que ses patrons immédiats et les éditeurs du *Courrier Laval* l'ont empêché à plusieurs reprises de démarrer des enquêtes sur Laval ou d'écrire des propos négatifs sur le maire. « Mon *boss* [au *Courrier Laval*] m'a carrément dit qu'on ne pouvait pas mordre la main qui nous nourrit. Au contraire, c'était important que Gilles soit visible et bien visible [dans le journal]. Qu'on ait des nouvelles positives. Par exemple, le maire prenait rarement des vacances. Mais quand il était absent, mon *boss* nous demandait d'écrire quand même des reportages pour que Vaillancourt continue d'être présent dans le journal, même s'il était absent de la ville », relate M. Grenier.

Est-ce la crainte de perdre les lucratives annonces de la Ville de Laval dans le journal ? La peur de faire scandale ? Toujours est-il qu'une certaine complaisance semble régner à l'endroit du maire au *Courrier Laval*. Ironie du sort, l'hebdomadaire a pignon sur rue depuis 1979 dans un immeuble qui appartient à la famille Vaillancourt, au 317, rue Montmorency à Laval. Le maire est donc en partie propriétaire de l'immeuble où se trouve le principal journal de la ville. C'est son frère Benoit Vaillancourt qui est responsable de l'entretien de l'immeuble et que le *Courrier Laval*, en bon locataire, appelle à la rescousse lorsque des réparations sont à faire dans les locaux de la rédaction. Les journalistes s'habituent à voir déambuler le frère du maire pendant qu'ils rédigent leurs articles.

Dans les années 1990, Jean-Claude Grenier sent bien qu'il a les mains doublement liées par le maire et son employeur. Mais pendant ce temps, les histoires compromettantes continuent d'affluer à son bureau. Les citoyens aiment et connaissent le *Courrier Laval*. Ceux qui s'opposent au maire comptent sur leur « hebdo » pour faire éclater la vérité et relancent le journaliste au téléphone ou par des lettres anonymes sur de potentiels cas de corruption à la Ville. « Comme journalistes, on avait nos doutes et on avait même des preuves. Il y avait des gens qui nous appelaient continuellement. Le *Courrier* était la bible de Laval », illustre M. Grenier.

Ce dernier affirme même avoir été confronté directement à un cas patent de corruption vers 1992 ou 1993. Alors qu'il dîne au restaurant Chalet Suisse, au coin des boulevards Saint-Martin et Le Corbusier, un promoteur immobilier de sa connaissance vient s'asseoir à sa table. « Il me dit qu'il s'en va rencontrer Gilles. Que ce n'est pas facile d'obtenir quelque chose de la ville et qu'il est rendu à boutte. Il me dit : "Il faut que j'obtienne ce contrat-là. Gilles m'a fait part de ses conditions et ça me coûte cher" », raconte Jean-Claude Grenier. Les deux hommes finissent leur repas et repartent vers leurs voitures respectives. « Il me dit : "Viens, je vais te montrer quelque chose". Il ouvre sa valise de voiture et il y a un attaché-case, plein de *cash*. Au moins une quarantaine de liasses, moitié de 50 $, moitié de 20 $. Il dit que sans ça, il ne peut même pas rentrer dans le bureau du maire. » Une demi-heure plus tard, de retour à l'hôtel de ville, M. Grenier rencontrera cet homme d'affaires dans un corridor, en route vers le bureau du maire.

Le journaliste sait qu'il n'aura pas, comme d'autres auparavant, l'assentiment de son éditeur pour développer cette histoire et ne pousse pas son investigation plus loin. Tant bien que mal, Jean-Claude Grenier s'accommode de la censure et de la relative complaisance qui existe entre la mairie et le *Courrier Laval*. Il apaise sa conscience en refilant à des compétiteurs les histoires d'enquête les plus juteuses concernant l'administration en place. Il sait qu'il n'a aucune chance de les publier à Laval.

Les journalistes du *Courrier Laval* ne sont pas les seuls à blâmer quant au silence médiatique sur la corruption du régime Vaillancourt. Avant le milieu des années 1990, où les médias nationaux sortent plusieurs scandales sur l'administration Vaillancourt, peu de journalistes publient des histoires croustillantes sur Laval. Un ancien journaliste-vedette, qui a couvert le municipal dans les années 1980, nous a expliqué que ce n'était pas son « mandat » de faire de l'enquête à l'époque et que les patrons de presse s'intéressaient peu à ce qui se passait à Laval, en dehors de la couverture plus ou moins assidue des conseils municipaux. Ce dernier a demandé à conserver son anonymat.

Aussi, en habile stratège, Gilles Vaillancourt n'hésite pas à gâter les journalistes et à se rapprocher d'eux pour mieux les contrôler et s'assurer d'une couverture médiatique positive. « Il y a toujours eu un respect entre Vaillancourt et nous autres, même si on était un peu ses marionnettes », souligne Jean-Claude Grenier.

L'ex-journaliste du *Courrier Laval* a aussi passé quelques heures sur la rivière des Prairies avec Vaillancourt. « J'y suis allé une fois, seul avec lui. Pendant son deuxième mandat, il avait aussi invité tous les journalistes qui couvraient l'hôtel de ville. Il nous avait invités à aller souper en bateau à Sainte-Anne-de-Bellevue. Il aimait ça partir, sortir du chenal et aller manger. Il voulait qu'on jase de tout, sauf de politique [...] Pour le maire, c'était l'occasion de rencontrer les gens dans un contexte autre que celui de la politique. On n'a jamais senti qu'on devait être plus gentil avec lui par la suite à cause de ça. On ne se sentait pas manipulés. »

Il accompagne également le maire à deux reprises à des matchs de hockey, en compagnie d'autres journalistes. « Même le soir où les Canadiens ont gagné la coupe Stanley en 1993. J'étais là, invité par Gilles. Il me semble avoir lu le nom de Cima+ sur la porte de la loge. Il y avait des membres de l'exécutif et quatre ou cinq autres journalistes », affirme-t-il. C'est alors une autre époque, comme le souligne M. Grenier. Selon lui, ces soirées avec le maire ne créent pas de « malaises » au sein de la communauté journalistique. « Ça n'a jamais freiné les autres journalistes d'écrire [négativement] sur Vaillancourt par la suite », dit-il.

LE CAS DU *COURRIER LAVAL*

Mais plus le temps passe et moins Vaillancourt tolère l'opposition, sous toutes ses formes. Dans les années 2000, il devient moins amical envers les journalistes et se transforme en véritable pitbull envers ceux qui le critiquent.

L'affaire impliquant le journaliste Stéphane St-Amour est révélatrice. Le 20 avril 2014, l'employé du *Courrier Laval* est réintégré dans ses fonctions aux affaires municipales à la suite d'une décision arbitrale qui lui est en partie favorable. Selon son syndicat, M. St-Amour avait été relevé de la couverture municipale par la direction du journal quatre ans auparavant, en raison de pressions de l'administration Vaillancourt.

Le tout découle d'un article publié le 6 janvier 2010 par le journaliste Fabrice de Pierrebourg sur la plateforme rue-frontenac.com. Ce dernier écrit alors que la firme Schokbeton a décroché un contrat d'une valeur de 900 000 $ avec la Ville de Laval en 2000, et ce, sans appel d'offres. La firme a reçu le montant en deux paiements, dont l'un deux ans plus en tard en 2002. Au moment du dernier versement, le conseiller du PRO des Lavallois et membre du comité exécutif de la Ville de

Laval, Benoît Fradet, est embauché comme vice-président par Schokbeton. L'histoire fait beaucoup réagir.

Dans la foulée, le journaliste du *Courrier Laval* Stéphane St-Amour réalise un entretien avec M. Fradet et publie un article où il relate que le conseiller a remis à la Ville une déclaration d'intérêts pécuniaires incomplète en lien avec son emploi à Schokbeton. Cette déclaration doit être remplie chaque année par les élus qui y font état de leurs intérêts économiques. Or, dans son article du 14 janvier intitulé « EXCLUSIF // Benoit Fradet a fait une déclaration incomplète en 2008 », le journaliste St-Amour indique que si Benoît Fradet y mentionne bel et bien son emploi à Schokbeton, « le conseiller de Renaud escamote la 4e question, n'identifiant aucune entreprise "susceptible d'avoir des marchés avec la municipalité" dans laquelle il possèderait des intérêts pécuniaires ». Furieux, le conseiller Fradet menace de poursuivre le *Courrier Laval*.

Les patrons de M. St-Amour lui font aussi savoir leur mécontentement. À la fin du mois de janvier, le journaliste est retiré de la couverture des affaires municipales. Trois griefs sont déposés par son syndicat, le Syndicat de l'information de Transcontinental – CSN. À terme, un seul grief sera retenu par l'arbitre Nathalie Faucher lors de sa décision en avril 2014, comme quoi ce changement d'affectation ressemble à une mesure disciplinaire de l'employeur à l'égard de M. St-Amour. Elle ordonne la réintégration du journaliste à son poste aux affaires municipales.

Dans la décision d'une centaine de pages de l'arbitre, plusieurs faits troublants sont allégués par le syndicat à propos des pressions que ferait subir l'administration Vaillancourt au journal hebdomadaire. M. St-Amour lui-même prétend subir depuis 2005 de la pression de la part de son éditeur qui n'aime pas « que les journalistes critiquent l'administration municipale ». Le journaliste affirme « choisir ses batailles » et pratiquer une forme d'autocensure en raison de cette attitude de la direction.

Ses propos sont appuyés par le témoignage de Marie-Ève Courchesne, alors directrice de l'information du *Courrier Laval*. Selon elle, tous les articles touchant la Ville et le maire doivent être soumis à l'éditeur du journal avant publication, une pratique qui ne s'applique que pour l'administration Vaillancourt et non pour les autres annonceurs publicitaires du journal. Toujours selon Mme Courchesne, l'éditeur du *Courrier Laval*, Claude Labelle, téléphone directement à Pierre Lafleur ou Pierre Desjardins, de l'équipe des communications du maire, pour les avertir des textes qui seront publiés sur le maire ou son administration. « À une occasion, M. Labelle a fait référence aux revenus publicitaires de la Ville lors d'une discussion au cours de laquelle elle n'était pas d'accord avec lui pour couper un texte », peut-on lire à propos du témoignage de la directrice de l'information.

Le syndicat donne aussi des exemples précis d'ingérence alléguée de l'administration Vaillancourt. Par exemple, en octobre 2009, l'émission *Enquête*, diffusée sur les ondes de Radio-Canada, traite d'appels d'offres à Laval qui auraient été truqués par la mafia. Stéphane St-Amour interroge le maire Vaillancourt à ce sujet et publie ensuite un article : « *Appels d'offres truqués : Vaillancourt n'en savait rien* ». Le lendemain, il constate que son article a été retiré du site Web. « M. St-Amour mentionne qu'il est alors allé voir M. Labelle qui lui a dit que cette nouvelle n'était pas d'intérêt pour les gens de Laval », peut-on lire dans la décision arbitrale. Finalement, l'article sera publié à nouveau cinq jours plus tard.

Toujours en octobre 2009, M. St-Amour prétend qu'on lui a refusé de faire un suivi sur un article de *La Presse* portant sur le partage de contrats municipaux par un groupe d'entrepreneurs, sous prétexte que « cela n'est pas d'intérêt public ». Aussi, alors que le scrutin municipal de novembre 2009 approchait, M. Labelle aurait demandé à ses journalistes de « rester tranquille jusqu'aux élections ». Pour M. St-Amour, « il s'agissait d'un message clair comme quoi M. Labelle ne voulait rien voir dans le journal ou en ligne qui pouvait porter ombrage à l'équipe Vaillancourt ».

Pour son syndicat, il est clair que la décision de l'employeur de retirer M. St-Amour de la couverture municipale « a été prise suite à des pressions politiques, juridiques et économiques de la part de l'administration Vaillancourt ». Tout cela est nié vigoureusement par la direction du journal. L'éditeur du *Courrier Laval*, Claude Labelle, jure « n'avoir jamais été influencé pour publier ou non un texte par les revenus émanant de la Ville de Laval, le maire de Laval ou le parti du maire de Laval ». Même constat du côté de Serge Lemieux, vice-président hebdos et distribution chez TC Média, qui affirme que le retrait de M. St-Amour de la couverture municipale n'a rien à avoir avec une quelconque menace émanant de la Ville. L'employeur souligne aussi que le journal « a publié des articles négatifs au sujet de la Ville ou du conseil municipal dans les jours qui ont suivi » le déplacement de son journaliste.

Contacté à ce sujet à l'automne 2017, Stéphane St-Amour, qui était toujours journaliste au *Courrier Laval*, n'a pas voulu nous accorder d'entretien sur le conflit qui l'a opposé à son employeur. Idem pour son ancien éditeur, Claude Labelle, qui s'est dit « malheureusement » indisponible pour nous parler. Nous nous sommes heurtés au même silence tant du côté de Jacques Dion, prédécesseur de M. Labelle au poste d'éditeur du *Courrier Laval*, que de TC Transcontinental, propriétaire du journal.

Le contrôle qu'a tenté d'exercer Gilles Vaillancourt sur les médias a fait l'objet de plusieurs discussions et rumeurs à Laval au fil des ans. Que ce soit directement ou de manière contournée, le roi de Laval a bien fait sentir l'étendue de son pouvoir aux journalistes.

À preuve, son administration sera même citée par la Fédération professionnelle des journalistes du Québec (FPJQ) dans un mémoire surnommé le « dossier noir » de l'information municipale, publié en novembre 2010. Dans le document, qui rapporte les contraintes auxquelles font face les journalistes municipaux, on fait directement référence à un article coécrit par Stéphane St-Amour qui dévoilait « des liens de copinage » entre la Ville de Laval et le plus important propriétaire foncier de l'île, Alex Cotler. S'en était alors suivi une convocation à l'hôtel de ville. « Au cours de cet entretien, qui prenait des allures de procès, une remarque éloquente a été lancée par un attaché politique du cabinet du maire : "À l'époque, c'était pas mal moins compliqué qu'aujourd'hui ; les indésirables, on les empalait ! " Cette phrase a été lancée à l'éditeur, qui n'en était pas à sa première "comparution" », peut-on lire dans le mémoire.

Ce cas est loin d'être l'exception à Laval, affirme la FPJQ. « Les journalistes du *Courrier* qui fouillent des dossiers sensibles sont régulièrement sommés de venir s'expliquer par la suite à l'hôtel de ville, quand ils ne sont pas tout simplement boycottés », écrit l'association de défense des journalistes.

Que ce soit en exerçant un ascendant indiscutable sur la Ville et ses employés, en essayant d'acheter députés et candidats aux élections ou encore en surveillant de près les médias, Gilles Vaillancourt a toujours géré « sa » ville comme il l'entendait. Le vrai *boss* à Laval, c'est lui. Son système de contrôle est sans faille et celui qui tenterait d'échapper à sa mainmise sur les activités de la Ville serait bien malvenu.

9

LAVAL, CENTRE DU QUÉBEC

Plus les années passent et plus le pouvoir de Gilles Vaillancourt grandit non seulement à Laval, mais aussi à l'échelle provinciale. Au plus fort de son règne à la fin des années 1990 et au début des années 2000, Gilles Vaillancourt est LE poids lourd de la politique municipale au Québec. Tant sur la scène fédérale que provinciale, bien peu d'élus osent lui déplaire de peur de se mettre à dos du même coup les citoyens de la troisième plus grande ville de la province. Pourquoi ? En partie grâce au poids politique de plus en plus important que joue Laval à son essor économique fulgurant. En partie, aussi, grâce aux enveloppes d'argent comptant qu'il offre pour s'assurer de l'obéissance de certains élus. Alors que les scandales se multiplient, tous optent donc pour la solution facile : fermer les yeux.

LE ROI DE LA COURONNE NORD

À Montréal, l'un après l'autre, les maires Pierre Bourque et Gérald Tremblay collaborent gentiment avec leur voisin, sans jeter un seul coup d'œil à ce qui se passe à Laval. La même déférence est observée parmi les maires de la couronne nord qui craignent carrément Vaillancourt.

Alors qu'il était maire de Westmount, Peter Trent a siégé pendant plusieurs années au conseil d'administration de l'Union des municipalités du Québec (UMQ). À ce titre, et en raison de la proximité de sa ville avec Laval, il affirme avoir reçu plusieurs confidences de maires voisins de Laval au fil des ans. « Les maires des villes au nord de Montréal avaient peur de lui. Ils voulaient toujours plaire à Gilles Vaillancourt. Est-ce parce qu'ils avaient peur des répercussions ? Gilles était présent lors de chaque nomination, pour n'importe quelle instance. Il était capable de nommer qui il voulait à l'UMQ, à la Table des maires et des préfets de la couronne nord, etc. », explique M. Trent.

Selon ce dernier, Gilles Vaillancourt est à l'époque bien plus que le « simple » maire de Laval. Également responsable de la région administrative, celui-ci connaît personnellement tous les gens siégeant à des postes importants au nord de la métropole. Se mettre à dos Vaillancourt revient pratiquement à déchirer son plan de carrière. Le maire a également des contacts précieux chez quelques firmes de communication et chez des organisateurs politiques. Personne n'ose questionner à haute voix ce qui se passe à Laval, et ce, malgré quelques soupçons, admet Peter Trent. « Mais même s'il y avait des ouï-dire comme quoi il fallait payer un montant *cash* pour obtenir un contrat à Laval, ça restait des rumeurs et on n'avait rien de plus concret comme information. »

PROTÉGÉ PAR LA CLASSE POLITIQUE

Sur la scène provinciale, on évite soigneusement de remettre en question les méthodes Vaillancourt, celui-ci étant devenu peu à peu un acteur incontournable.

En 2007, il devient membre du conseil d'administration d'Hydro-Québec. Sans surprise, le maire de Laval s'y fait rapidement remarquer, comme en témoigne son ancien conseiller en communications Pierre Desjardins. « J'ai appris par l'un de mes anciens clients, qui travaillait à Hydro-Québec, que Gilles Vaillancourt était le meilleur sur le conseil d'administration. Il était rassembleur et c'était le seul qui avait des positions très claires, très structurées. »

Au fil des ans, Vaillancourt a aussi occupé tour à tour les fonctions de président et vice-président de l'UMQ et il a siégé au conseil d'administration de la CMM, la Communauté métropolitaine de Montréal. Enfin, le maire a également présidé la Coalition pour le renouvellement des infrastructures du Québec, une association d'entreprises et de syndicats en construction qui réclamait plus d'investissements dans les infrastructures. L'emprise de Gilles Vaillancourt ne se limite donc plus uniquement à l'île Jésus ; elle s'étend ailleurs dans la sphère politique. Et, comme au municipal, aucun parti politique provincial ne veut prendre le pari de défier ce puissant maire.

L'accumulation de ces postes stratégiques donne certes de l'importance au maire Vaillancourt sur le plan politique. Mais c'est surtout sa domination sans partage sur Laval qui impressionne les députés fédéraux et provinciaux.

En effet, depuis sa première élection comme maire en 1989, Gilles Vaillancourt ne cesse de battre ses propres records de popularité. Certains députés provinciaux et municipaux en viennent même à croire que le maire a tant d'influence sur ses citoyens lavallois que ces derniers votent « du même bord » que lui lors des élections provinciale et fédérale.

La machine électorale du PRO des Lavallois est probablement ce qui impressionne le plus à Ottawa et à Québec. Le parti politique du maire peut compter sur une armée de bénévoles qui gagne à tout coup la bataille du porte-à-porte. Et, surtout, l'argent coule à flots. Candidat à la mairie de Laval en 1997 et en 2001, Daniel Lefebvre se rappelle que le parti dominant se battait avec « des moyens plus grands » que les autres, notamment par une abondance de pancartes électorales et de tracts imprimés. « Laval est dans un vide médiatique, car située trop près de Montréal. L'opposition n'a que peu de moyens de se faire connaître via la télévision, la radio ou les grands médias montréalais. Le seul moyen, c'était de se payer de la publicité à gros prix et souvent mal placée dans l'hebdo local », évoque-t-il.

L'abondance de moyens du PRO des Lavallois fait toute la différence sur le terrain, selon M. Lefebvre. « Je pense qu'il n'y a plus besoin de démontrer que du *cash*, ils en avaient à ne plus savoir quoi en faire ». Les élections à Laval se préparent de longue date et le maire Vaillancourt utilise un large éventail de stratagèmes pour assurer la victoire à son parti.

Tout un chacun tient à être dans les bonnes grâces du politicien. L'ancien député du Parti québécois David Cliche semble toutefois faire exception à la règle. Ce dernier a représenté la circonscription de Vimont, à Laval, de 1994 à 2002. Il affirme que ses relations avec le maire étaient loin d'être cordiales, ce qui déplaisait dans les rangs péquistes où l'on cherchait à garder de bonnes relations avec le représentant de Laval. « À l'époque, je me pognais d'aplomb avec Vaillancourt. Mais ce que les gens disaient, c'est que c'était l'élu municipal le plus puissant au Québec. Certains de mes collègues n'appréciaient pas mes prises de bec et mes divergences avec le maire de Laval. Vaillancourt, c'était un gros joueur », se rappelle-t-il.

C'est aussi le souvenir qu'en a gardé l'ingénieur et ex-adversaire politique de Vaillancourt, Daniel Lefebvre. Selon lui, la même complaisance existait envers le maire au palier fédéral. « Les politiques provinciaux et fédéraux le protègent tous. Parce que ça les sert bien. Il ne faudrait surtout pas froisser M. Vaillancourt, parce qu'il y a une élection provinciale qui s'en vient et qu'on aimerait bien garder nos comtés. Laval a vraiment plus d'importance que ce que l'on pense [...] C'est plus qu'un comté baromètre, Laval. C'est la différence entre être au pouvoir et ne pas être au pouvoir », dit-il.

Peu de politiciens peuvent se vanter d'être aussi aimés par les électeurs. Gilles Vaillancourt est si populaire qu'il se fait abondamment courtiser par des partis politiques provinciaux et fédéraux, et ce, malgré les nombreuses rumeurs qui courent au sujet de la gestion douteuse de son administration.

À quelques reprises, les libéraux fédéraux, qui connaissent bien son allégeance politique, approchent le maire de Laval. Ce dernier refuse chaque fois, même lorsque le premier ministre du Canada, Jean Chrétien, le rencontre en personne pour lui offrir une place de choix au sein de son cabinet. Il se gausse même un peu de l'attrait qu'il exerce sur les partis politiques lors d'une entrevue accordée au *Journal de Montréal*, en décembre 1996. « À chaque élection provinciale ou fédérale, mon nom circule. Moi, je ne me pose même pas la question », dit-il.

UN INTOUCHABLE QUI AGIT À SA GUISE

Gilles, parfaitement au courant de la déférence qui l'entoure, est bien décidé à en profiter. La classe politique le considère comme un demi-dieu ? Qu'à cela ne tienne, il se comportera comme tel. Le maire de Laval entre dans les cabinets des premiers ministres comme s'il pénétrait dans son propre bureau. Pas question de faire comme les autres maires et de solliciter des audiences ou, pire, de se contenter d'échanger avec un sous-ministre.

Selon David Cliche, qui a été ministre responsable de la région de Laval pendant quelques années, le maire ne tolère tout simplement pas qu'un autre que lui « s'occupe » de sa ville. « Dans sa tête, le maire de Laval, ça parle au premier ministre. Ça n'a pas de temps à perdre avec les ministres régionaux et les sous-ministres. Il a toujours été comme ça », affirme M. Cliche.

Ce dernier se souvient d'une anecdote révélatrice, survenue en 1996-1997. Vaillancourt contacte directement le conseiller politique du premier ministre Lucien Bouchard, Jean-Roch Boivin, pour se plaindre du ministre Cliche. Il affirme que Cliche n'assure pas un bon suivi des dossiers lavallois. « Jean-Roch me dit que le maire de Laval s'est plaint de moi et qu'il traitera désormais directement avec lui pour le calmer. Un mois plus tard, Jean-Roch me rappelle et me dit : "*Crisse*, occupe-toi s'en. Moi, je ne m'en occupe plus. C'est un filou. Je n'ai pas de temps à perdre avec lui". » Le ministre Cliche recommence donc à intervenir auprès de Vaillancourt, mais la relation entre les deux politiciens continue à se détériorer. Le député accuse notamment le maire de lui « voler » ses *scoops* pour se mettre en valeur. « Je prépare une annonce gouvernementale. Vaillancourt l'annonce sans nous, une semaine avant. Il brûlait la nouvelle et se l'appropriait. Il excellait là-dedans », soutient Cliche.

À un certain point, le torchon brûle tellement entre les deux hommes qu'ils demandent à leurs attachés politiques respectifs de sortir du bureau où ils tiennent une rencontre. « Je m'étais retrouvé seul avec lui. Il s'était mis à crier. Je lui avais dit : "Gilles Vaillancourt, tu es un bandit de grand chemin." Ça criait assez que les attachés politiques pensaient qu'on allait en venir aux coups. Il était rouge de colère », affirme David Cliche qui soutient avoir été l'un des rares opposants à Vaillancourt. Cliche niera, des années plus tard, avoir reçu à l'époque de l'argent comptant du maire Vaillancourt, à l'instar d'autres politiciens.

Gilles Vaillancourt développe avec le temps une certaine arrogance qui, sans son pouvoir et son influence, aurait pu s'avérer dangereuse. Il n'hésite pas à s'adresser aux plus hautes instances pour obtenir ce qu'il veut. Ex-député péquiste, Guy Chevrette porte plusieurs chapeaux de ministre, dont celui des Affaires municipales, sous le gouvernement Parizeau au milieu des années 1990. Il se souvient du maire de Laval comme d'un homme « très courtois », qui connaissait bien la politique et cherchait constamment à « faire son lobby ». « Quand il me demandait une rencontre, je le recevais. Mais j'étais toujours accompagné d'un attaché politique », explique-t-il.

M. Chevrette se rappelle notamment d'une demande de Vaillancourt pour favoriser le dézonage de terres agricoles. « Moi, je ne suis pas ministre de l'Agriculture. Il savait très bien que ça relevait de la Commission de protection du territoire agricole », dit-il. M. Chevrette refuse d'en entendre davantage et Vaillancourt ne va pas plus loin. Le maire ne demandera plus rien à Chevrette, mais ne semble pas, non plus, s'inquiéter outre mesure des possibles répercussions de cette tentative d'influencer un ministre en fonction.

À ce stade, Gilles Vaillancourt ne se soucie plus, ou si peu, de la perception que peuvent avoir de lui certains politiciens. L'homme ne voit aucun problème à inviter politiciens, journalistes, entrepreneurs ou autres gens d'affaires à venir passer du temps sur son bateau amarré derrière sa résidence privée de l'île Du Tremblay. Le maire ne s'en fait guère pour les apparences, peu importe si ses invités pouvaient sembler lui être redevables après avoir séjourné sur son luxueux yacht.

L'ex-député et ministre Serge Ménard, dont les révélations ultérieures marqueront le début de la chute du Monarque, fait partie de la longue liste des invités du maire de Laval. Il n'y voit d'ailleurs aucun problème. « Je me souviens de l'avoir rencontré chez lui. On avait été sur son bateau, sur la rivière. Il m'avait laissé conduire. Il avait un beau bateau », nous a-t-il confié. Au final, seule l'opinion des électeurs compte.

DES ENVELOPPES
POUR ACHETER TOUT LE MONDE

Gilles Vaillancourt a beau être souvent affublé du surnom de « maire à vie » et compter sur une opposition très faible à l'hôtel de ville, il croit nécessaire de tenter d'acheter les politiciens provinciaux afin d'asseoir son influence. Pas moins de cinq ex-députés seront associés à des tentatives de corruption par le Monarque, soit la remise d'enveloppes d'argent comptant pour financer leur campagne électorale.

Au printemps 2002, le jeune notaire lavallois Vincent Auclair fait le saut en politique. Il ambitionne de devenir le député provincial de Vimont, le secteur de Laval où il a grandi. La mi-trentaine, Auclair a bonne réputation, ayant œuvré pendant plusieurs années dans l'étude légale familiale avec son père. Pour les libéraux, alors sur les banquettes de l'opposition, il représente une occasion de gagner un siège très contesté à l'Assemblée nationale, à moins d'un an de la date prévue des élections générales. Vimont est péquiste depuis deux mandats, mais la démission de David Cliche pourrait annoncer un rebrassage des cartes. En politique provinciale, il n'y a pas de véritable château fort à Laval. Gilles Vaillancourt le sait très bien, et il tient à être dans les bonnes grâces du candidat libéral si ce dernier l'emporte.

En juin, à deux semaines de l'élection, Vaillancourt rencontre Vincent Auclair dans son bureau à l'hôtel de ville, en fin d'après-midi. Le néophyte de la politique ne se fait pas d'illusion : Gilles Vaillancourt est le vrai *boss* à Laval. Il est d'ailleurs très impressionné à l'idée de le rencontrer. Assis devant une table de travail, Vaillancourt et Auclair échangent sur la campagne en cours. Après 15 minutes, le maire se lève et va prendre place derrière son imposant bureau. Il invite Auclair à venir s'asseoir devant lui. « C'est dur une campagne électorale, c'est exigeant », dit alors Vaillancourt en tendant une enveloppe blanche à Vincent Auclair. « Ça peut aider. » Le candidat n'a pas besoin de traduction, il comprend immédiatement qu'il y a de l'argent comptant dans l'enveloppe. Il est mal à l'aise. Le maire insiste. Vincent Auclair finit par accepter. « Écoutez, ce sera votre don au Parti libéral », dit-il nerveusement avant de quitter les lieux en vitesse.

De retour dans la voiture où un membre de son personnel politique l'attendait, Auclair place l'enveloppe dans le coffre à gants et déguerpit. Le candidat est troublé. Parce qu'il a pris l'enveloppe, il sait qu'il sera redevable au maire de Laval, d'une manière ou d'une autre, s'il devient député. Il se rend à son bureau de campagne, où il confronte son organisateur Louis-Georges Boudreault. Redoutable homme de terrain politique, Boudreault roule sa bosse au Parti libéral depuis des décennies. « Regarde, tu vas régler ça. Tu régleras ça avec ton chum [Vaillancourt] parce que moi, je ne veux rien savoir de ça », lui lance Vincent Auclair. Par naïveté ou par imprudence, Auclair ne vérifiera jamais si Boudreault a vraiment retourné l'argent au maire de Laval. Il met alors cet épisode derrière lui et espère qu'il ne refera jamais surface. En politique, les apparences font foi de tout.

Auclair perdra l'élection aux mains de l'adéquiste François Gaudreau, dont la formation politique est de plus en plus populaire. Il se reprend l'année suivante, lors du scrutin général de 2003, en devenant député de Vimont. Il profite alors de la vague libérale qui chasse le Parti québécois du pouvoir et installera Jean Charest comme premier ministre du Québec pendant une décennie. Huit ans plus tard, c'est l'épisode de l'enveloppe qui mettra fin à la carrière politique de Vincent Auclair. En 2010, lorsque l'affaire sera rendue publique, il deviendra *persona non grata* au Parti libéral. Il prétendra même que l'entreprise de son père a perdu tous ses contrats avec la Ville de Laval, du jour au lendemain. Auclair tentera bien maladroitement de s'en sortir en jouant sur les mots, niant publiquement avoir accepté de l'argent alors qu'il était député (plutôt que simple candidat). Il fera même des déclarations contradictoires à la police.

En 2012, l'organisateur Louis-Georges Boudreault sera lui-même arrêté et accusé d'abus de confiance, lors d'une opération policière visant une quinzaine de personnes dont le maire de Mascouche, Richard Marcotte. La Couronne lui reprochera d'avoir transmis en 2008 une enveloppe de 3000 $ au candidat libéral dans Masson, David Grégoire. Cette enveloppe provenait du directeur général de la Ville de Mascouche, Luc Tremblay. Il sera toutefois acquitté trois ans plus tard, car la juge Dominique Larochelle, de la Cour du Québec, ne verra pas de preuve hors de tout doute que Boudreault savait que Tremblay allait commettre un abus de confiance en remettant l'enveloppe au candidat. Boudreault plaidera cependant coupable à des constats d'infraction du Directeur général des élections, pour du financement illégal en lien avec cette affaire, en 2013.

De longue date, Gilles Vaillancourt offre des enveloppes d'argent aux candidats libéraux. En 1994, il en propose une de couleur blanche au député Thomas Mulcair, qui en est à sa première tentative en politique provinciale. Mulcair se présente alors dans la circonscription de Chomedey. La rencontre se tient « dans un bureau isolé », selon une déclaration que Mulcair fera en 2011 aux policiers de l'UPAC. « Il s'est assis en face de lui, en tenant quelque chose dans sa main et a dit vouloir l'aider [...] tout en montrant l'enveloppe », expliquent les enquêteurs dans le compte rendu de leur rencontre avec Thomas Mulcair. Le candidat libéral recule alors puisque la situation le rend inconfortable. Il quitte les lieux sans prendre l'enveloppe, sans même avoir pris connaissance de son contenu. « Mais, pour lui, il était clair que c'était de l'argent », notent les enquêteurs. Personne ne remettra en question la version de Mulcair. Par contre, cela n'empêchera pas le politicien d'être plongé dans l'embarras en mai 2013, lorsque ses déclarations faites aux policiers deux ans auparavant seront rendues publiques. Alors devenu chef du NPD, un parti fédéral, Mulcair sera alors pressé d'expliquer pourquoi il avait d'abord nié, lors d'une conférence de presse en 2010, que Gilles Vaillancourt lui avait déjà offert de l'argent comptant dans une enveloppe. Manifestement, Mulcair aurait préféré que la tentative de corruption dont il a fait l'objet en 1994 ne soit pas rendue publique. Il connaîtra toutefois une carrière politique remarquable qui le verra occuper des fonctions de ministre provincial, et de chef de l'Opposition officielle au fédéral.

Même si ses allégeances libérales sont bien connues, Gilles Vaillancourt n'hésite pas à délier les cordons de la bourse pour des candidats péquistes. L'ingénieur et ex-organisateur péquiste Claude Vallée affirme que lors de la campagne électorale de 1994, Vaillancourt lui a remis personnellement une enveloppe contenant 10 000 $ à l'intention du candidat péquiste dans la circonscription de Vimont, David Cliche. « Il m'a appelé un matin, c'était aux élections du PQ en 1994, un an avant le référendum. C'était un vendredi matin, j'arrivais d'un chantier puis il me dit : "Je veux vous voir". » Vaillancourt fait remarquer à Vallée que le scrutin provincial approche et que le chef péquiste Jacques Parizeau a de très bonnes chances de l'emporter. « Il me dit : "Je vais te le dire franchement, à Laval, le petit Cliche, je l'aime beaucoup, j'aimerais ça qui passe." [...] Là, il dit : "Je roule les dés, je mets 10 000 $ sur lui." Il sort l'enveloppe puis il me la donne », se rappelle Claude Vallée.

Claude Vallée est rompu aux méthodes du financement occulte, mais il est surpris qu'un libéral souhaite financer la campagne électorale d'un péquiste. Tout de même, il ne crachera pas sur une telle somme pour financer le parti pour lequel il œuvre.

Il se rend donc au bureau de l'organisateur de David Cliche, Michel Goyer, pour lui transmettre le paquet. « Goyer est tout seul à la table. Là, j'y donne pis je lui dis : "C'est l'argent de Laval, les libéraux qui payent pour faire élire les péquistes." Il prend l'enveloppe pis la met tout de suite en dessous », se rappelle-t-il. « J'ai envie de vomir, mais je me dis, "Tabarnouche, il veut faire l'élection avec l'argent des libéraux, qu'il mange de la marde, on va la faire". » C'est alors que le candidat Cliche se présente au local électoral. Vallée ne lui parle pas de la livraison qu'il vient de faire. Il dit ne pas pouvoir affirmer que David Cliche a vu l'enveloppe ni qu'il a été mis au courant de sa provenance. Mais il se dit certain que l'argent a bel et bien été dépensé pour la campagne électorale, qui se soldera par une victoire péquiste. Il croit également que Goyer a averti Vaillancourt qu'il avait bel et bien reçu les billets.

Cliche, de son côté, jure ne jamais avoir eu vent de ce don du maire. Quinze ans plus tard, ce sont des enquêteurs de police qui lui apprendront l'épisode de l'enveloppe. « Je suis tombé en bas de ma chaise, se rappelle-t-il. Laisser 10 000 $, à mon insu [...] En tout cas, ils n'ont jamais rien trouvé là-dedans. Mes attachés politiques de l'époque ont nié vigoureusement. » David Cliche sera député de Vimont de 1994 à 2002, période au cours de laquelle le PQ sera au pouvoir sans interruption. Il héritera notamment des postes de ministre de l'Environnement et de ministre délégué au Tourisme.

En 2013, Michel Goyer niera aussi cet épisode en entrevue au quotidien *La Presse*. « On n'est pas d'accord avec ce que dit Claude Vallée. L'a-t-il gardé dans ses poches ou donné à d'autres ? S'il veut faire une vendetta, je n'ai pas le goût d'embarquer là-dedans », dira-t-il alors.

Lorsqu'il sera rencontré par les policiers tentant de faire la lumière sur cette affaire, David Cliche se souviendra par contre que Vaillancourt lui avait proposé une récompense en 1993 à la suite du règlement d'un dossier. Le maire lui aurait dit de présenter une fausse facture au magasin de meubles familial pour recevoir une somme d'argent. Le politicien provincial dira avoir refusé ce marché.

Pour donner du poids à la version de Claude Vallée selon laquelle Vaillancourt a offert de l'argent pour le PQ au début des années 1990, un autre ex-candidat péquiste, Serge Ménard, affirmera avoir refusé une enveloppe contenant 10 000 $ que lui aurait tendue le maire lors d'une élection partielle dans Laval-des-Rapides en 1993. C'est d'ailleurs les révélations publiques de cet incident qui entraîneront le déclenchement d'une enquête policière et plus tard la chute de Gilles Vaillancourt.

Lors de cette enquête, Vallée affirmera aussi à la police que Vaillancourt lui avait signifié en 1994 son intention de contribuer de manière occulte à la campagne électorale de Joseph Facal, en passant par son attaché politique. Homme dont l'éthique n'a jamais été remise en question, Joseph Facal affirmera en 2013 ne jamais s'être fait offrir d'argent. « Il n'aurait pas fallu », ajoutera-t-il même dans un courriel envoyé au quotidien *La Presse* lorsque les déclarations de Vallée sont rendues publiques. De quoi démontrer que Vaillancourt n'est pas toujours parvenu à ses fins.

TROISIÈME PARTIE

PREMIÈRE PARTIE

10

LE SYSTÈME VAILLANCOURT

Il y a toujours eu de la collusion et de la corruption aux quatre coins de la province. Il y en a eu à Montréal, à Québec, à Longueuil, à Gatineau et à Saint-Jérôme, pour ne nommer que ces villes. Mais la particularité des crimes commis par l'administration Vaillancourt réside dans le fait qu'ils ont été dirigés depuis les plus hautes sphères de l'administration municipale : directement dans le bureau du maire et des plus hauts fonctionnaires de la Ville, derrière des portes closes.

Gilles Vaillancourt est l'architecte d'un système très sophistiqué de partage des contrats de construction et d'ingénierie, auquel les participants contribuent en versant une ristourne en argent sonnant. En place, un nombre très restreint de fidèles alliés qui exécutent ses ordres sans trop poser de questions. « C'est tellement simple que tout le monde est étonné que ça ait pu durer aussi longtemps », remarquera en octobre 2017 Richard Rougeau, le procureur de la Couronne attitré au procès de l'entrepreneur Tony Accurso, un des membres du cartel.

179

Des 37 personnes qui ont été arrêtées par la police pour leur participation aux crimes, Accurso est le seul qui a subi un procès. Plusieurs témoins y sont venus expliquer en détail ce qui s'est vraiment passé.

Jusqu'à son arrestation, le maire a toujours gardé les mains propres, du moins en apparence. Mais c'est lui qui donne les ordres, lors de discrètes rencontres dans son bureau ou au restaurant. « L'argent ne tombait jamais dans les mains de Vaillancourt. Il tombait dans les mains de *bagmen*, des tiers, qui eux autres alimentaient la caisse électorale », résume l'ingénieur Claude Vallée.

Surtout, le stratagème mis en place à Laval parvient à déjouer complètement l'esprit des appels d'offres publics, censés permettre à la libre concurrence de régner et aux contribuables d'avoir le meilleur prix.

Lorsqu'elle lance un appel d'offres, la Ville demande à toutes les entreprises intéressées de lui soumettre un prix pour une tâche à effectuer. Après avoir pris connaissance de l'avis d'appel d'offres public dans les journaux, les entreprises intéressées peuvent se rendre au bureau des soumissions de la Ville afin de récupérer les plans et devis qui correspondent au contrat. Elles ont de deux à trois semaines pour analyser les demandes de la Ville et soumettre un prix. L'entreprise qui soumet l'offre la moins chère remporte le contrat.

Tout ça est bien beau... sauf si les gagnants des appels d'offres sont désignés à l'avance par le maire, son directeur général ou le directeur de l'ingénierie. À Laval, le stratagème est si efficace que même le comité exécutif (l'équivalent municipal du Conseil des ministres) et le conseil municipal, formé des élus qui doivent voter les contrats, seront bernés pendant des décennies.

LE CARTEL DES ENTREPRENEURS

Au milieu des années 1990, le géant français de l'asphalte Colas décide de percer le marché des contrats publics à Laval. L'entreprise est présente au Québec depuis des décennies, via sa filiale Sintra, et voit un potentiel plus qu'intéressant sur l'île Jésus, là où le développement urbain s'accélère. Gilles Théberge, qui a fait ses débuts dans l'entreprise comme simple contrôleur en 1979, a gravi les échelons de l'entreprise au fil des années pour devenir directeur régional. C'est à lui que la haute direction de Sintra demande de planifier son offensive lavalloise. Théberge ne se fait pas d'illusions. Il prévient ses collègues du conseil d'administration qu'il faudra s'attendre à verser des pots-de-vin pour travailler au royaume de Gilles Vaillancourt. C'est déjà, à l'époque, un secret de Polichinelle dans l'industrie. Autour de la table, les quatre directeurs régionaux, le grand patron basé à New York et le responsable de la province de Québec ne s'en formalisent pas. Sintra veut poursuivre son expansion au Québec, et prendra les grands moyens.

Pour que l'aventure soit rentable, Sintra doit fabriquer l'asphalte sur place. Il est impensable de transporter les enrobés bitumineux depuis les établissements de la compagnie situés à Saint-Constant ou même Lachute. Ils sont situés trop loin, et les coûts de transport seraient trop importants. Sintra acquiert donc deux usines d'asphalte à Laval. Elle achète sa première en 1995, des mains de la compagnie Demix, et sa seconde en 1996, connue sous le nom de carrière Lagacé. L'entreprise a désormais une présence sur le territoire, mais les débuts sont difficiles. À partir du début 1995, elle décroche bien quelques mandats, mais « ce n'était pas des gros projets », se souviendra Théberge lors de son témoignage au procès de l'entrepreneur Tony Accurso, en 2017.

À cette époque, le stratagème de partage des contrats publics n'est pas encore très organisé. Sintra rejoint donc un petit groupe d'entrepreneurs en asphalte qui s'arrangent entre eux, sans la complicité de la Ville, pour avoir chacun sa part de la tarte des contrats. Le fonctionnement est très simple. Ce petit groupe sait que pendant la saison des contrats, en début d'année, la Ville rend publics ses appels d'offres aux deux ou trois semaines, par grappe de cinq à dix contrats. Quelques jours après que les plans et devis de cette dizaine de contrats ont été rendus disponibles, le groupe se rencontre.

« On se répartissait entre nous les projets d'asphalte. Ça n'avait rien à voir avec la Ville », expliquera Gilles Théberge en cour. Cette collusion est bien sûr imparfaite. Rien n'empêcherait une entreprise à l'extérieur du cercle de soumissionner et de remporter les contrats. De même, la complicité des dirigeants à l'hôtel de ville n'est pas encore établie. « C'était un petit système, un peu boiteux. Il se restructure, se perfectionne avec les années qui vont suivre », poursuivra Gilles Théberge.

Tout change à partir de 1997, avec l'arrivée de Claude Deguise comme directeur du génie à la Ville de Laval. Gilles Vaillancourt voit en cet homme efficace le bras droit parfait pour exécuter un des volets de sa stratégie. Il donne à Deguise le mandat de « contenter » tous les entrepreneurs membres du cartel déjà existant en décidant à l'avance qui aura tel ou tel contrat. Le système est désormais géré depuis les plus hautes sphères de l'hôtel de ville. « L'attribution de la majorité des contrats publics de construction était décidée avant la réception et l'ouverture des soumissions », admettra froidement Deguise dans le document judiciaire qu'il signe à l'été 2017 pour aller en prison.

Quelques jours après la publication d'une poignée d'appels d'offres, Deguise convoque tour à tour les entrepreneurs

« gagnants » dans son bureau. Parfois, ils sont cinq entrepreneurs à attendre leur tour, assis sur une chaise près de la porte. Deguise annonce alors à chacun quel contrat lui sera attribué. Il se sert d'un outil de travail essentiel pour faire de la collusion : la liste de tous les soumissionnaires qui se sont présentés quelques jours plus tôt pour récupérer les plans et devis. Leurs noms avaient été soigneusement notés par la secrétaire au bureau des soumissions.

Officiellement, cette liste est un outil de travail qui permet à la Ville de contacter les entrepreneurs intéressés par le contrat avant la date de dépôt des offres, pour les aviser en cas de modification aux travaux prévus. Mais officieusement, cette liste devient un élément essentiel du stratagème illégal. Deguise en imprime une copie et la remet au gagnant désigné, qui quitte son bureau pour laisser entrer le gagnant du prochain contrat. « On savait, tout le monde, pourquoi on était là. On attendait nos papiers », relatera Mario Desrochers en 2017 au procès de Tony Accurso. Directeur régional chez Sintra, Desrochers sera aussi impliqué dans la magouille pour Sintra, après le départ de Gilles Théberge.

En quittant le bureau de Claude Deguise, chaque entrepreneur se donne quelques jours pour décider du prix du contrat qu'il remportera. Il appelle ensuite ses « concurrents » dont les coordonnées apparaissent sur la fameuse liste remise par Deguise pour leur indiquer de soumettre un prix plus élevé que le sien. Cette manœuvre permettra ainsi au gagnant désigné de garantir sa victoire. Par exemple, si ce dernier choisit de soumettre un prix de 3,2 millions $, il demandera à un des membres du cartel de chiffrer sa soumission à 3,4 millions $. Un autre entrepreneur devra proposer un prix de 3,5 millions $, et ainsi de suite.

Les instructions peuvent se donner au téléphone ou lors d'une rencontre en personne. Ces soumissions bidon sont appelées « soumissions de complaisance ». Parfois même, selon Mario Desrochers, les négociations commencent dès la sortie du bureau de Claude Deguise, lorsque quelques entrepreneurs sont convoqués à quelques minutes d'intervalle pour rencontrer le directeur de l'ingénierie.

La seule limite à ne pas franchir, pour le gagnant désigné, est celle de l'estimation de prix fournie par la Ville avec les documents de soumission. Cette estimation est réalisée par des ingénieurs-conseils embauchés par la Ville. « Claude Deguise nous répétait chaque fois : il ne voulait vraiment pas qu'on dépasse "l'estimé" de la Ville, sauf s'il y avait des changements aux plans », se remémore Gilles Théberge. Mais cela n'est pas un problème : les firmes de génie-conseil savent qu'il y a un partage des contrats et fournissent une estimation généreuse en conséquence. « Dans 95 % du temps », le prix estimé par la Ville est assez élevé pour satisfaire les entrepreneurs, selon Théberge.

Comme chaque membre du cartel obtient son ou ses contrats, donc sa part du gâteau, personne ne rechigne à envoyer des soumissions de complaisance. Et pour ceux qui ne sont pas sélectionnés cette fois-ci, leur tour viendra quelques semaines plus tard, lorsqu'un autre lot d'appels d'offres sera rendu public. Ce manège gardera tout le monde heureux pendant une quinzaine d'années.

Lors de l'ouverture des soumissions par la Ville, l'entrepreneur identifié par Claude Deguise comme étant le gagnant présente toujours le prix le plus bas. Au comité exécutif, ça passe comme une lettre à la poste. Au conseil municipal aussi. Après tout, l'entrepreneur qui offrait le meilleur prix a bien gagné, non ? Et ce prix correspond bien à l'évaluation des ingénieurs

« experts » et indépendants mandatés par la Ville. Tout semble parfait et conforme. On approuve et on recommence.

L'enquête policière qui sera faite des années plus tard démontre qu'à l'apogée du cartel, une vingtaine d'entreprises de construction se partagent ainsi la tarte des contrats d'aqueduc, de pavage ou de trottoirs à Laval. Elles reçoivent au moins 85 % de tous les mandats. Parmi elles, on retrouve :

J. Dufresne Asphalte ; Jocelyn Dufresne inc. ; Valmont Nadon Excavation ; Sintra ; Simard Beaudry ; Louisbourg ; Asphalte Desjardins ; Nepcon ; Construction Mergad ; Poly-Excavation inc. ; Salvex ; Carl Ladouceur Construction ; Timberstone ; Ciment Lavallée ; Giuliani Construction ; DJL.

LA DÎME DE 2 %

Que faut-il faire pour avoir le privilège de décrocher les contrats de construction arrangés de la Ville de Laval ? Entretenir de bonnes relations avec le maire. Et payer assidûment la « dîme », une ristourne en argent comptant correspondant à 2 % de la valeur des contrats obtenus.

En s'adjoignant les services d'une poignée de gens participant à la collusion comme collecteurs de fonds, Gilles Vaillancourt s'assure de garder les mains propres, du moins en apparence. Il mandate Marc Gendron, un des dirigeants de Tecsult, pour ramasser les ristournes des entrepreneurs. Son nom est synonyme de succès : dès 1958, alors qu'il était un tout jeune ingénieur encore dans la vingtaine, il s'était associé avec Claude Lefebvre pour former la firme Gendron Lefebvre, qui sera achetée par Tecsult dans les années 1990. Gilles Vaillancourt et Marc Gendron sont des amis de longue date. Les deux hommes ont fait connaissance au début des années 1980, au temps où Vaillancourt était un simple élu de l'opposition. L'été, ils font régulièrement du bateau ensemble avec leur épouse et l'hiver, ils se croisent en Floride.

Une vingtaine d'années plus tard, sous serment et devant le juge, Gendron se rappellera du moment où Vaillancourt lui confie sa mission de collecteur de fonds : « En 1996, il m'a demandé de ramasser des fonds pour le PRO des Lavallois. Les entrepreneurs étaient pour verser une certaine somme d'argent. Que je pouvais conserver [dans un premier temps], et remettre [au parti politique] à l'occasion. » Après quelques jours de réflexion, l'ingénieur accepte de jouer le rôle de collecteur. Il sait parfaitement que les liasses qui proviendront des entrepreneurs sont en fait un pourcentage sur les contrats qu'ils obtiennent. Il y voit un intérêt personnel : sa firme de génie en pleine expansion veut bénéficier de sa part du gâteau dans le cartel lavallois.

Même après le démantèlement du système et les arrestations de l'UPAC, Marc Gendron affirmera toujours s'être perçu comme un simple exécutant. « Le mot est très grand, crimes [...] Je prétends que j'avais un rôle de caissier, un point c'est tout. Je n'ai pas participé à organiser n'importe quoi », dira avec la voix éraillée l'homme de 86 ans, au procès de Tony Accurso.

Très vite, Gendron commence à recevoir des entrepreneurs et leurs enveloppes dans les bureaux lavallois de sa firme Tecsult. À l'occasion, il peut également se déplacer et offrir son « service de collecte » sur le terrain. Bien organisé, il se procure un petit ordinateur portable HP, de « 6 × 4 pouces », avec un chiffrier pour comptabiliser les sommes perçues. Les fonds entrent rapidement, au moins 200 000 $ à 300 000 $ par année. Son rôle de collecteur de pots-de-vin étant clandestin, l'ingénieur devenu banquier ne souhaite pas garder de trop grosses sommes d'argent dans le coffre-fort de la compagnie. D'autant plus que Chantal Morasse, une autre dirigeante de l'entreprise, possède aussi une clé du coffre. Gendron loue donc trois coffrets de sûreté dans trois institutions bancaires lavalloises. Un à la Banque Nationale, un à la Banque Royale, et un autre à la CIBC. Le plus gros peut facilement contenir 400 000 $ à 500 000 $, les deux autres sont un peu plus petits. « En billets de 1000 $, c'était facile à remplir », se souviendra-t-il lors de son témoignage au procès de Tony Accurso.

Puis, à l'approche des élections, le patron de Tecsult puise dans ces coffrets pour faire des versements à l'intention du PRO. Sur le million et demi de dollars qu'il touchera au fil des années, Gendron en versera plus d'un million à Guy Vaillancourt, le frère du maire. Les livraisons d'argent se feront directement au commerce MD Vaillancourt, sur le boulevard du Carrefour, près du boulevard Le Corbusier. Il remettra aussi entre 50 000 et 60 000 $ à Jean Bertrand, l'agent officiel du PRO, par divers versements de 5000 à 10 000 $.

Un jour, le maire ordonne à Marc Gendron de donner 400 000 $ à Robert Talbot, l'avocat de la famille Vaillancourt. Sans poser de questions, Gendron empile des liasses dans une boîte et se rend voir l'avocat. Ce dernier se met alors à étaler le magot partout dans son bureau, pour en faire le décompte. Il étend les billets sur chaque surface disponible, incluant la surface de travail et les fauteuils. « Ça a pris peut-être une heure et demie [...] La secrétaire a ouvert la porte. Elle était mal à l'aise de voir cet étalage-là », se souviendra Marc Gendron lors de son témoignage devant la justice. Quinze jours plus tard, Me Talbot contacte l'ingénieur par téléphone et l'avise qu'il manque 17 000 $. « Je lui ai dit : "Va te faire foutre, tu as compté l'argent devant moi" », déclarera sous serment Gendron. Talbot sera plus tard poursuivi par la justice. Il sera arrêté en 2013, le même jour que Gilles Vaillancourt et 35 autres coaccusés. Mais toutes les accusations contre lui seront abandonnées en 2017, car il bénéficiera d'un arrêt des procédures en raison de délais judiciaires déraisonnablement longs.

S'ils ne paient pas la ristourne, les entrepreneurs peuvent autrement dire adieu au paiement des imprévus qui surviennent sur les chantiers, appelés « extras » dans le jargon de la construction. Et s'ils persévèrent à ne pas payer, ils seront tout simplement exclus du marché lavallois. Lino Zambito, propriétaire d'Infrabec, l'apprend à ses dépens en 2003. Sa firme n'a jamais été particulièrement la bienvenue au royaume de Gilles Vaillancourt. Normal. Son oncle, Jean Rizzuto, est un adversaire politique du maire, qui l'a battu aux élections de 1993. Zambito multiplie pourtant les démarches auprès de ses contacts.

En 2002, invité à l'ouverture d'un magasin MD Vaillancourt, le jeune entrepreneur se fait approcher par le maire. « Ton contrat s'en vient sous peu. Les gars vont te dire lequel. » Le boulot octroyé à Infrabec, qui vaut environ 2 millions $, concerne le prolongement du boulevard Cléroux, à Laval. Sauf qu'en cours d'exécution des travaux, les imprévus s'accumulent. Il y en a pour 400 000 $. Gendron, qui reçoit l'entrepreneur dans son bureau pour entendre ses doléances, lui ouvre alors les yeux. « Vos extras sont possiblement recevables, mais je pense que t'es au courant de la façon dont ça fonctionne à Laval », expliquera l'ingénieur devant la commission Charbonneau. Zambito, qui n'est pas un habitué du cercle des ristournes de Gilles Vaillancourt, opte pour verser un montant forfaitaire de 25 000 $ après avoir été payé pour ses extras. Il recevra d'autres contrats à Laval.

ACCURSO, LE ROI DES ENTREPRENEURS

Pendant le règne de Gilles Vaillancourt, Tony Accurso est sans contredit le plus gros joueur de l'industrie de la construction à

Laval. Diplômé en génie, Accurso a pris en 1981 la direction de l'entreprise de construction fondée en 1954 par son père, un immigrant calabrais débarqué au Québec sans le sou à l'âge de 16 ans, en 1922.

Dans un premier temps, la firme se spécialise dans les travaux d'égout et d'aqueduc. Elle prend le nom de Louisbourg, comme la rue du quartier Ahuntsic à Montréal sur laquelle elle effectue ses premiers travaux dans les années 1950. Ancien joueur de football dans les rangs universitaires, trapu et charismatique, Tony a toujours été un bourreau de travail. Doté d'une discipline de fer, il a fréquenté un collège militaire aux États-Unis pendant cinq ans, alors qu'il n'était qu'un adolescent. Plus tard, il enverra d'ailleurs ses trois fils dans un collège militaire américain. « Il n'était pas avec les nobles, il n'allait pas dans les bals cravatés, il n'avait même pas de cravate, Tony. Il n'avait pas de chemise qui ferme, il a le cou 19 [pouces de circonférence] », se rappelle l'ingénieur Claude Vallée.

Tony Accurso rêve d'une entreprise « intouchable » – ce sont ses mots – et il parvient à ses fins. En homme rusé, il comprend vite que la clé du succès dans la construction réside dans le contrôle des matières premières. Il acquerra une carrière de pierre, des usines d'asphalte et de béton, et ne sera donc plus soumis aux caprices de fournisseurs de matériaux. C'est ce qu'on appelle « l'intégration verticale », c'est-à-dire avoir la mainmise sur chaque étape de la production.

Au fil des années, il transforme l'entreprise familiale en un véritable empire pancanadien qui comptera plus de 4000 employés, et dont le chiffre d'affaires annuel atteindra 1,4 milliard $. Accurso est actif dans la construction et dans la fabrication de matériaux, bien sûr, mais aussi dans la restauration, les bars et l'immobilier. À Laval, ses entreprises Louisbourg, puis

Simard-Beaudry (qu'il achète en 1998) sont reconnues autant pour leur envergure que pour la qualité de leurs travaux. « Il contrôlait les tuyaux de Hyprescon [des tuyaux d'aqueduc en béton]. Il contrôlait l'asphalte, il contrôlait la fabrication des regards d'égouts et des tuyaux. Il contrôlait la pierre, à cause de la carrière. Il avait la meilleure équipe de toute la maudite *gang* », dit Claude Vallée. Accurso bâtit son empire grâce notamment à l'aide précieuse du Fonds de solidarité FTQ, qui investira des dizaines de millions de dollars avec lui pour la création et l'acquisition de nombreuses entreprises.

En 2000, Marc Gendron se rend compte que Louisbourg et Simard-Beaudry sont en retard dans le paiement de leur ristourne. Autrement dit, elles n'ont pas versé le fameux 2 % sur les quatre ou cinq derniers contrats publics qu'elles ont obtenus. Gendron, en bon collecteur, s'impatiente. Surtout que Joe Molluso, le représentant de Louisbourg qui s'occupe normalement du paiement de la ristourne, semble réticent à le payer. L'ingénieur se plaint alors à Gilles Vaillancourt du manque d'assiduité de l'empire Accurso, qui obtient pourtant la plus grosse part des contrats de construction donnés par la Ville de Laval.

Joe Molluso prend enfin contact, un jour d'automne. « Tu vas avoir ton argent, 200 000 $. Tony va te rappeler », indique-t-il à Marc Gendron. L'entrepreneur ne tarde pas à se manifester et convoque Gendron en fin de journée à son bar, le Tops, situé dans les Galeries Laval, un centre commercial qui lui appartient également. L'établissement comprend un salon de pari sur les courses de chevaux. C'est là qu'Accurso accueille son invité. Il l'invite à s'asseoir et à prendre une consommation. Marc Gendron déclarera au procès d'Accurso en 2017 qu'après une heure, Accurso réapparaît et annonce : « Tes choses sont arrivées. » Les deux hommes se dirigent alors au fond du stationnement, dans la noirceur, vers une Cadillac de couleur pâle. « Il [Accurso] a ouvert sa valise. Il m'a dit : "Prends ça". Il y avait deux enveloppes 8 ½ ' 14, un pouce et demi d'épais », selon Gendron. L'ingénieur repart avec les enveloppes dans son propre véhicule, sans même les ouvrir pour vérifier leur contenu.

Le soir même, il se rend voir le notaire Jean Gauthier, collecteur de fonds pour le PRO, qui assiste alors à une réunion dans une école à Laval-des-Rapides. Il trouve néanmoins un moment pour sortir de la salle et s'emparer de la filière rouge dans laquelle Gendron a placé le butin. Transaction complétée.

Peu de temps après, dans son petit ordinateur, l'ingénieur applique les 200 000 $ sur le « compte » de Louisbourg, selon ses propres dires. L'entreprise a payé son dû et reste dans les bonnes grâces du Monarque et de sa cour. Accurso niera avec véhémence cet épisode lors de son procès criminel en 2017. Il expliquera avoir eu un conflit avec Gendron quelque temps avant l'épisode du Tops, ce qui pourrait expliquer le mensonge de l'ingénieur. Néanmoins, le jury préférera finalement retenir la version de Gendron, et cela contribuera à faire déclarer Accurso coupable.

Tony Accurso trouve d'autres moyens pour s'assurer d'entretenir de bonnes relations avec les dirigeants lavallois. Vers 2005, il fournit gratuitement les services d'une designer d'intérieur au directeur général de la Ville, Claude Asselin, qui se fait bâtir une immense et luxueuse maison sur le bord de la rivière des Prairies. Il demande à une collaboratrice de longue date, Danièle Vigneault, de « rencontrer [M. Asselin] et voir ses besoins ». La designer s'exécute, et se rend même sur le site des travaux à quelques reprises. Elle produit une facture que Tony Accurso règle sans discussion.

Lors du procès de l'entrepreneur, Danièle Vigneault sera incapable de dire au juge James Brunton quelle était la valeur du travail payé par Accurso pour Claude Asselin. Elle expliquera que la facture a été déchiquetée « par inadvertance ». Visiblement très mal à l'aise d'être à la barre des témoins, elle sera même incapable de fournir une estimation des coûts de ce genre de travail. Fait à noter, d'autres entrepreneurs faisant affaire avec la Ville de Laval fourniront gratuitement des services pour la construction de la maison de Claude Asselin. Leur précieuse aide permettra d'ailleurs à Asselin de faire quelques années plus tard un bon coup d'argent. Alors qu'il avait acheté le terrain pour 132 000 $ en mai 2004 et contracté une hypothèque de 557 000 $ pour financer la construction de la maison, il revendra le tout pour 1,4 million $, en août 2010.

PAYER POUR TRAVAILLER

Sintra, pour sa part, n'aura jamais de problème à s'acquitter des pots-de-vin en échange de sa participation au stratagème. Après avoir complété son premier contrat « collusoire » d'une valeur d'un peu moins de 2 millions $ pour des travaux sur le boulevard Le Corbusier, Gilles Théberge a besoin de 40 000 $ comptant pour payer sa dîme. Ce montant correspond à 2 % du montant du contrat, avant les taxes. « On a fait un chiffre rond », se souviendra-t-il lors du procès de Tony Accurso en octobre 2017, avant de préciser que c'est le PDG de Sintra, Thierry Genestar, qui lui remet les billets « en coupures de 100 $ ». « Dans ce temps-là, on avait des coupures de 1000 aussi », ajoutera Théberge. À noter que Genestar, aujourd'hui directeur général international de Colas, la maison-mère de Sintra, n'a pas été accusé par la justice.

Enveloppe en main, Théberge se rend dans le bureau de Marc Gendron, chez Tecsult, à l'intersection des boulevards

Saint-Martin et Des Laurentides. Il ne connaît pas beaucoup son interlocuteur. Gendron prend l'argent et note la réception du paiement dans son ordinateur. « Je n'ai pas eu de reçu », se remémore Gilles Théberge en souriant.

La carrière de Gilles Théberge chez Sintra prend fin de manière abrupte 21 ans après avoir débuté. Le 15 juin 2000, à 3 h 45 du matin, une bombe explose sous sa voiture stationnée dans son entrée de garage, à Lorraine, en banlieue nord de Laval. Visiblement ébranlé lors de son témoignage au procès criminel de Tony Accurso, Théberge ne s'étendra pas davantage sur les circonstances de l'incident, mais il fera bien comprendre que cela forcera son départ de chez Sintra.

C'est Mario Desrochers, un directeur des opérations chez Sintra, qui reprendra le rôle que jouait Théberge concernant le truquage des contrats. Éduqué par l'entrepreneur René Mergl aux rouages du système, Desrochers se rendra plusieurs fois dans le bureau de Claude Deguise, entre 2001 et 2005, pour savoir quels contrats sont destinés à Sintra, et pour recevoir la liste des « concurrents » à contacter pour truquer les offres. Arrêté en 2013 pour sa participation au stratagème, il plaidera coupable en juillet 2017 et écopera d'une peine de prison avec sursis. Un autre ex-cadre de Sintra, Normand Bédard, écopera quant à lui de 12 mois de détention à domicile. En 2014, devant la commission Charbonneau, Bédard révèlera l'ampleur des pratiques de collusion de la firme au Québec, surtout dans les contrats du ministère des Transports. Il affirmera que la participation de Sintra à la collusion s'est estompée au cours des années 2000.

En 2001, Théberge se retrouve du travail chez la firme Valmont Nadon. Chez son nouvel employeur, il est surtout responsable de contrats d'égoût et d'aqueduc. La spécialité change, ce n'est plus l'asphalte. Mais les moyens de collusion demeurent les mêmes. Théberge ne tarde pas à faire jouer ses contacts et se révèle un atout précieux pour l'entreprise. Dès octobre 2001, Valmont Nadon décroche ainsi son premier contrat grâce au stratagème de collusion de l'administration Vaillancourt, sur la rue des Géraniums, à côté du club de golf Islesmere. De 2001 jusqu'à la retraite de Théberge en 2010, Valmont Nadon gagnera une trentaine de contrats avec la Ville de Laval. Seulement deux ne seront pas arrangés, se rappellera avec certitude Théberge, sept ans plus tard. Valmont Nadon lui-même, propriétaire de l'entreprise qui porte son nom, sera arrêté par l'UPAC lors de la spectaculaire rafle policière de mai 2013. Mais il décède deux ans après, à l'âge de 78 ans, avant même de subir son procès.

Quant à Théberge, il deviendra informateur de la police et fournira des informations-clés qui permettront plus tard d'arrêter l'ex-maire et 36 coaccusés. En échange, il bénéficiera de trois ententes d'immunité. La première lui assurera de ne pas faire l'objet d'accusations de la part du Directeur des poursuites criminelles et pénales (DPCP), lui qui était pourtant un participant actif au stratagème de fraude. La deuxième le protégera d'accusations du Bureau de la concurrence, un organisme fédéral qui aurait pu le sanctionner à titre de participant à un cartel. Et finalement, Théberge sera aussi immunisé contre les poursuites de Revenu Québec, alors qu'il risquait de lourdes amendes pour avoir signé les faux documents nécessaires à un stratagème de fausses facturations mis en place pour payer la ristourne de 2 %.

Néanmoins, sa retraite ne sera pas de tout repos. Théberge participera à plus d'une vingtaine de rencontres avec les enquêteurs. Il témoignera aussi à la commission Charbonneau en 2013, à l'enquête préliminaire de l'ex-maire Vaillancourt en 2015 et au procès de Tony Accurso en 2017.

D'UN COLLECTEUR À L'AUTRE

Une fois par année, Marc Gendron s'envole pour Miami pendant le temps des Fêtes, et en profite pour faire son rapport au maire Gilles Vaillancourt. C'est plutôt pratique ; les deux hommes possèdent des condos dans le même voisinage, et il y a beaucoup moins de risque que leur conversation soit épiée aux États-Unis.

Les deux hommes conviennent d'un rendez-vous pour déjeuner. Marc Gendron passe alors en revue chaque dossier, chaque contrat, et fait l'inventaire des sommes perçues. Qui a payé comme prévu sa ristourne de 2 % ? Qui est retardataire ? En 2013, il confiera à la commission Charbonneau que Tony Accurso était souvent récalcitrant à payer sa dîme, mais que Vaillancourt était tolérant avec lui, car il était proche de l'entrepreneur.

Tout bon chef d'entreprise sait prévoir la relève. En 2002, Marc Gendron envisage de prendre sa retraite. L'homme a alors plus de 70 ans et est dans les affaires depuis presque 45 ans. Il doit aussi ménager ses énergies puisqu'il se remet encore d'une opération subie pour traiter un cancer deux ans auparavant.

Gendron propose alors à son ami Gilles Vaillancourt de confier le rôle de collecteur de fonds à Roger Desbois, un collaborateur de longue date qui est vice-président chez Tecsult. Desbois et Gendron ont appris à se faire confiance au fil des décennies ; Gendron était le patron de Desbois lorsque ce dernier a eu son premier emploi au sein de la firme Gendron Lefebvre, en 1962.

Le maire accepte de travailler avec un nouveau collecteur ; le stratagème peut continuer. Claude Asselin, le directeur général de la Ville, convoque alors Roger Desbois dans son bureau à l'hôtel de ville. Les deux hommes sont déjà familiers et ont de l'estime l'un pour l'autre : Asselin avait offert à Desbois d'occuper le poste de directeur de l'ingénierie à la Ville de Laval, en 1997. C'est finalement Claude Deguise qui avait eu le boulot.

Claude Asselin propose donc officiellement à son interlocuteur de poursuivre le bon travail de Marc Gendron à titre de « collecteur ». Au meilleur souvenir de Desbois, Asselin reste assez vague sur toutes les subtilités du poste. Le directeur général est par contre très clair sur un point : si le représentant de Tecsult refuse l'offre, les parts de marché de sa firme auprès de la Ville de Laval passeront de 25 % à 15 %. Autant dire que Tecsult perdrait des dizaines, voire des centaines de milliers de dollars de son chiffre d'affaires. Le chantage du directeur général fonctionne. Dès le lendemain, alors que Marc Gendron lui explique qu'on lui demande en fait d'agir comme « collecteur de fonds pour le PRO », Roger Desbois accepte le mandat qui lui est confié. Les deux hommes concluent un marché. Gendron terminera la collecte pour les contrats jusqu'au 31 décembre 2002, et Desbois prendra la relève dès le 1er janvier 2003.

Roger Desbois n'a aucun mal à chausser les souliers de son ex-patron. Il ramasse même davantage d'argent, soit au moins 2,7 millions $, pendant la période de 2003 à 2009 au cours de laquelle il occupe le rôle de collecteur des entrepreneurs. Pour l'aider dans sa collecte, Roger Desbois compte sur un outil de travail essentiel : une liste de tous les contrats de construction octroyés par la Ville de Laval, que lui remet Claude Deguise lorsque les deux hommes se rencontrent dans le bureau du haut fonctionnaire.

Pour un donneur d'ouvrage comme la Ville de Laval, cette liste officielle est un document stratégique important qui permet de faire un suivi des projets et des sommes dépensées. Mais entre les mains d'entreprises privées, ce document devient un formidable outil pour gérer la collusion et la collecte d'une ristourne. Dans la colonne de droite de la liste, le directeur de l'ingénierie marque d'un petit X les contrats qui ont été arrangés, c'est-à-dire ceux qui nécessitent le paiement de la ristourne correspondant à 2 % de leur valeur avant taxes. Roger Desbois n'a plus qu'à prendre rendez-vous avec les entrepreneurs dont le nom est marqué d'un X. Il les convoque séparément dans son bureau.

L'ingénieur n'a aucun problème à se faire payer. « En général, l'argent arrivait au premier rendez-vous. Il [l'entrepreneur] savait toujours pourquoi je l'appelais », expliquera-t-il sous serment en 2017. Les heureux gagnants des contrats publics sont si dociles que, parfois, ils le contactent eux-mêmes pour prendre rendez-vous afin de payer leur dû.

Si la plupart des 20 entrepreneurs suivent la règle du 2 %, en liquide, dans une enveloppe, certains ont leurs petits caprices. Chez Demix, le patron Pierre-André Matton fait comprendre à Desbois que l'entreprise refuse de donner de l'argent comptant. Par contre, en échange de sa part des contrats, elle est prête à faire plusieurs dons de charité lorsque le maire Vaillancourt les sollicite. La firme financera ainsi les chorales de Laval. Du côté de l'entrepreneur Désourdy, l'interlocuteur de Desbois, Roger Trudel, ne respecte pas non plus la règle du 2 %. Il effectuera, au fil des années, trois paiements d'un montant fixe de 10 000 $ chacun. Le champion de l'assiduité, au meilleur souvenir de Roger Desbois, est Valmont Nadon. « Aussitôt que le contrat était obtenu, il venait me porter 2 % », se souviendra le collecteur d'enveloppes. Les autres attendent plutôt d'avoir été d'abord payés par la Ville avant d'aller porter leurs liasses de billets.

Desbois, en bon ingénieur, s'assure d'optimiser le suivi de la collecte. Il mandate sa secrétaire pour créer deux grands tableaux avec le logiciel Excel. L'un détaille l'avancement des projets, l'autre fait le total de l'argent remis dans son bureau. Les précieux documents reposent sur une clé USB. Les mois passent, et la stratégie se raffine encore. Pour les plus gros contrats, Claude Deguise fournit même à Roger Desbois un document qui fait état de la progression des paiements faits par la Ville aux entrepreneurs. Ainsi, l'ingénieur de Tecsult peut percevoir l'argent des entrepreneurs dès que 50 % du prix des travaux a été payé par la Ville. Deguise ira même jusqu'à aller livrer les listes en mains propres à son complice, dans les bureaux de Tecsult.

À partir de la mi-2003, les pots-de-vin commencent à arriver à un rythme soutenu sur le bureau de Roger Desbois. L'ingénieur place le butin dans des enveloppes beiges extensibles, à coup de 200 000 $ dans chaque enveloppe. C'est tout ce qui entre. Puis, il dépose ces enveloppes dans la voûte située au sous-sol de Tecsult. L'argent n'y dort pas longtemps. Avant la fin de l'année, Jean Bertrand, l'agent officiel du PRO des Lavallois, se présente au bureau de Roger Desbois avec une valise. Il prend 200 000 $ et quitte les lieux. Desbois consigne soigneusement ce retrait dans le tableau Excel qui sert à la comptabilité des pots-de-vin. Au total, les deux hommes se rencontreront à trois reprises pour des échanges qui totaliseront 700 000 $, dira plus tard Desbois à la police.

En 2005, l'ingénieur remettra les fruits de sa collecte à un nouvel interlocuteur. L'avocat Pierre Lambert, de Dunton Rainville, l'invite à déjeuner au restaurant de l'hôtel Hilton, aux abords de l'autoroute des Laurentides. Lambert est un ami de longue date de Gilles Vaillancourt. D'ailleurs, tous les observateurs s'entendent pour dire que son entreprise est la firme d'avocats préférée de l'administration lavalloise. Une enquête de trois mois menée par l'Agence QMI en 2011 le confirme hors de tout doute : Dunton Rainville a obtenu des contrats qui totalisent pas moins de 25 millions $ de l'argent des Lavallois depuis 12 ans. Pour chacun des contrats, elle est la seule soumissionnaire et les conditions écrites à l'appel d'offres semblent clairement l'avantager.

Lambert ne passe pas par quatre chemins lors de sa rencontre avec Desbois : il l'informe qu'il prendra la relève de Jean Bertrand en tant que lien avec le parti politique. Rapidement, les deux complices conviennent de la meilleure manière de transférer les fonds. Leur petit manège implique de prendre d'abord rendez-vous au petit café situé en bas de l'immeuble de Tecsult. Avant la rencontre, Desbois prend soin de placer une ou deux enveloppes, contenant entre 100 000 $ et 200 000 $ chacune, dans le coffre de sa voiture située au stationnement intérieur du même édifice. Une fois le café consommé, Desbois et Lambert se rendent au stationnement et l'avocat place les enveloppes dans sa valise. Le stratagème se répètera à sept ou huit reprises au cours des cinq années suivantes, avouera l'ingénieur au procès de Tony Accurso. Au total, il remettra plus de 2 millions $ à l'avocat Lambert.

UN INTRUS À L'HÔTEL DE VILLE

Le système de partage des contrats connaît ses premiers bouleversements à partir de 2006. Rien pour stopper complètement une machine si bien huilée, mais assez pour que certains acteurs et certaines méthodes changent. L'homme à l'origine de ce grand bouleversement est l'ancien grand patron de la Société de transport de Laval, Gaétan Turbide.

Cet avocat charismatique a gravi pendant 15 ans les échelons de la société paramunicipale qui gère le transport par autobus sur l'île Jésus, jusqu'à en devenir le directeur général avant même d'avoir 35 ans. Début 2003, cela fait presque six ans que Turbide est à ce poste, et il ne se voit pas finir sa carrière au sein du transporteur public lavallois. Il a besoin de nouveaux défis. Ça tombe plutôt bien ; en mars de la même année, Claude Asselin lui offre un emploi à la Ville de Laval. La sauce ne prend pas immédiatement. Plutôt qu'un poste d'adjoint au directeur général, qui implique moins de responsabilités, Turbide convoite un poste de directeur général adjoint, là où il aura vraiment un pouvoir opérationnel. En septembre, l'affaire est conclue. Pour un salaire de 155 000 $ par année, l'avocat sera responsable des travaux publics, de l'urbanisme, des ressources humaines, de la police et des pompiers, ainsi que de l'ingénierie à la Ville de Laval.

À son arrivée à l'hôtel de ville en janvier 2004, la réalité frappe le nouveau directeur général adjoint de plein fouet : à la Ville de Laval, la hiérarchie et l'organisation sont des concepts abstraits. Ce ne sont dans les faits qu'une poignée de personnes, dont le maire Gilles Vaillancourt, ainsi que Claude Asselin et Claude Deguise, qui prennent les vraies décisions. « Il y avait une absence complète de planification. Chacun fonctionnait en silo. Chacun fonctionnait dans son propre département sans trop se soucier de ce que chacun faisait », témoignera Turbide en 2017 au procès de Tony Accurso, lorsque le procureur de la Couronne lui demandera de décrire le climat de travail. Pire, ses relations avec Claude Deguise tournent rapidement au vinaigre. Deguise n'accepte pas la venue d'un nouveau supérieur hiérarchique et continue de faire affaire directement avec Claude Asselin. Lorsque le nouveau directeur général adjoint le convoque à son bureau, il ne se présente pas. Lorsque Turbide lui donne une instruction, il l'ignore ou envoie carrément promener son supérieur. Mais Gaétan Turbide est un meneur et un homme intelligent, et il parvient tout de même à gagner le respect du maire Vaillancourt.

Fin janvier 2006, Claude Asselin annonce sa retraite de la Ville de Laval. Il atterrira comme vice-président de Dessau, une des firmes qui complotent pour le partage des contrats de génie. Gilles Vaillancourt propose alors à Gaétan Turbide de devenir directeur général, une offre que ce dernier accepte sans attendre. Turbide avait déjà entrepris de modifier les façons de faire à la Ville de Laval, et il ambitionne d'instaurer un meilleur climat de collaboration à l'intérieur des murs de l'hôtel de ville.

En devenant le plus haut fonctionnaire à Laval, il sera encore en meilleure position pour parvenir à ses fins. Le directeur général sortant et son successeur n'auront même pas de rencontre pour faire la transition dans les dossiers. À son départ, Asselin laisse une pile de documents sur son bureau, et c'est tout. Avec une simple note écrite invitant Turbide à l'appeler, s'il a des questions.

Désormais privés de leur troisième mousquetaire, Gilles Vaillancourt et Claude Deguise continuent tout de même leur travail pour arranger illégalement les contrats. Mais ils n'ont pas l'intention de cacher leur manège au nouveau directeur général. Lors d'une rencontre en mars dans le bureau du maire, sous les yeux de Gaétan Turbide, Vaillancourt gribouille sur la liste des contrats publics d'ingénierie, et apporte des modifications aux pourcentages des contrats qu'obtiendra chaque firme (voir « Le cartel des ingénieurs »). À peine un mois après, Claude Deguise se présente au bureau de Turbide avec une liste qui correspond à une série d'appels d'offres pour des travaux de construction que vient de lancer la Ville de Laval.

« Il avait apposé des Post-it, il avait identifié, pour chacun des lots de travail, un récipiendaire potentiel, donc un entrepreneur en construction vers qui devait être dirigé le travail », expliquera Turbide au juge James Brunton en 2017. Tout ça, avant même la fermeture des appels d'offres. Les yeux du nouveau directeur général s'ouvrent encore un peu plus lorsque, quelques jours plus tard, Vaillancourt lui-même approuve de manière nonchalante, dans son bureau, les choix des gagnants des contrats faits par Deguise. Pas de doute, le manège du maire et du directeur de l'ingénierie est bien rodé.

Les relations entre Claude Deguise et Gaétan Turbide, elles, sont beaucoup moins harmonieuses. Au printemps 2007, le directeur général constate que rien n'a changé et informe le maire de sa décision de mettre fin à l'emploi de Deguise. Le Monarque n'est pas chaud à l'idée que la Ville se sépare de celui qui l'aide à arranger les contrats depuis 10 ans, mais Turbide insiste. Il fait comprendre au maire que si Deguise reste à la Ville, c'est lui qui partira. Vaillancourt n'est pas le seul à vouloir que le directeur du service du génie reste en poste. Au cours des semaines suivantes, plusieurs entrepreneurs rencontrent Turbide pour lui dire à quel point Deguise est une bonne personne qui accomplit bien son travail.

Seul Tony Accurso est du même avis que Gaétan Turbide. Le directeur général propose alors au maire que le plus gros joueur dans les contrats de construction rencontre Deguise pour le convaincre. « Laisse-moi le temps d'y réfléchir », répond Vaillancourt, avant de lui confirmer quelques jours plus tard que tout est réglé.

Turbide est intrigué par cette réponse évasive, mais il obtient rapidement une explication un soir d'automne 2007, alors que Claude Asselin, qui travaille chez Dessau depuis presque deux ans, l'appelle sur son portable. Asselin lui dit que la situation a été tirée au clair, que Deguise est heureux dans son travail et que Turbide n'aura plus de problèmes avec lui. Il faut dire que l'ex-directeur général, même à ce moment, a encore ses entrées à la Ville de Laval. « Il pénétrait encore à l'hôtel de ville par la porte des employés. Il allait directement au bureau du maire.

Il donnait des directives à certains employés », se souviendra Gaétan Turbide lors de son témoignage au procès de Tony Accurso en 2017. Furieux de cette intervention de son prédécesseur qu'il juge inopportune, le directeur général convoque son subalterne dans son bureau dès le lendemain matin. Il envoie Deguise « réfléchir » chez lui et lui donne la fin de semaine pour songer à son avenir. Le lundi suivant, le directeur de l'ingénierie accepte de quitter son poste.

On ne se débarrasse pas d'un cadre supérieur comme Deguise sans un minimum d'égards. Le directeur général entreprend alors de négocier avec lui une indemnité de départ. Les deux hommes s'entendent sur un montant correspondant à 18 mois de salaire, qui apparaîtra dans les documents de la Ville. Mais Deguise n'a pas l'intention de se contenter de cette indemnité de départ « officielle » versée par chèque, qui atteint plus de 180 000 $. « J'ai une demande pour le maire. Je veux obtenir 500 000 $ en *cash* », lance-t-il alors à Gaétan Turbide. Vaillancourt sait fort bien qu'il doit récompenser un de ses plus fidèles alliés. Mais il réussit quand même à se montrer avare au moment de décerner à son bras droit cette indemnité de départ secrète. « Ça va être 350 000 $, pas une cenne de plus », tranche Gilles Vaillancourt quelques jours plus tard lors d'une conversation avec Gaétan Turbide. Deguise accepte cette proposition.

C'est l'ingénieur Rosaire Sauriol, vice-président chez Dessau, qui est mandaté par le maire pour remettre cette somme à Claude Deguise. Vaillancourt le convoque dans son bureau pour lui expliquer sa mission. « J'aimerais que tu ailles voir Frank Minicucci [le bras droit de Tony Accurso], qui va te donner l'argent, et tu vas le remettre à M. Deguise », lui ordonne-t-il. Sauriol, étonné que Vaillancourt lui demande un pareil service, sait fort bien que son entreprise fait partie du groupe de firmes de génie-conseil qui se partagent les contrats à Laval en échange d'une ristourne de 2 %. Mais l'ingénieur spécialiste du développement des affaires travaille plutôt dans les bureaux de Dessau situés sur la Rive-Sud de Montréal. Habituellement, c'est Serge Duplessis, un autre vice-président de l'entreprise, qui est responsable des dossiers lavallois de Dessau. Duplessis sera plus tard arrêté le même jour que le maire, puis radié à vie de la profession d'ingénieur.

Néanmoins, sachant que l'entreprise dont il est actionnaire fait de bonnes affaires à Laval, Sauriol accepte de jouer le rôle que lui confie Vaillancourt. Le transfert d'argent prend quelques mois. Minicucci rencontre Sauriol entre cinq et dix fois, au cours des six premiers mois de 2008, et lui remet des enveloppes de billets en précisant toujours la somme qu'elles contiennent. « Aussitôt que je recevais une enveloppe, je communiquais avec M. Deguise, et je la remettais à M. Deguise. J'étais un peu comme Purolator », expliquera Sauriol avec un demi-sourire, dans une salle de cour, neuf ans plus tard.

Les policiers qui finiront par démanteler le réseau criminel de Gilles Vaillancourt compteront beaucoup sur cet épisode pour démontrer l'influence de Tony Accurso auprès des autres acteurs du stratagème. Leur preuve sera d'autant plus solide que Turbide et Sauriol leur raconteront sous serment la même histoire, à une exception près. L'ex-directeur général parlera de 350 000 $, alors que Sauriol estimera plutôt la somme à 300 000 $. Qu'importe. Lorsqu'on parle de montants d'une telle ampleur en billets verts et bruns, la justice ne verra pas une grosse différence. Accurso sera déclaré coupable de fraude, de corruption et de complot.

LE SYSTÈME SE RÉORGANISE

Claude Deguise quitte officiellement son bureau de l'hôtel de ville de Laval en février 2008. Il ira travailler à la Société des ponts Champlain et Jacques-Cartier inc., un organisme qui relève du gouvernement fédéral et gère les deux plus importants ponts entre l'île de Montréal et la Rive-Sud. Son départ règle aussi un certain malaise au sein des entrepreneurs collusionnaires de Laval. Ceux-ci commencent à en avoir assez de devoir se présenter à l'hôtel de ville pour apprendre de quel contrat ils hériteront. C'est que le petit manège autour du bureau de Deguise éveille parfois des soupçons, particulièrement lorsqu'ils sont quatre ou cinq à faire la file pour y entrer. « On n'avait pas l'air bien bien fins », se rappellera Gilles Théberge lors de son témoignage au procès de Tony Accurso.

Deguise parti, qui prendra la relève comme courroie de transmission entre le bureau du maire et les entrepreneurs ? Gaétan Turbide sait très bien qu'il s'est fait complice du partage des contrats en fermant les yeux sur les manœuvres illégales de Vaillancourt, Deguise et Asselin, et en faisant circuler des documents entre l'un et l'autre, à l'occasion. Mais il n'a pas l'intention de se mouiller davantage. Il indique donc clairement au maire qu'il n'est pas question pour lui de décider quelles firmes auront les contrats avant même la fermeture des appels d'offres. Au début, c'est donc Gilles Vaillancourt lui-même qui, dans son bureau et sous les yeux de son directeur général, décide des gagnants des contrats.

Turbide succombe tout de même à la tentation de participer au stratagème moyennant une ristourne. Vaillancourt le convainc de transmettre les listes qu'il prépare à Roger Desbois, moyennant une compensation financière de 7,5 % du montant récolté en pots-de-vin de la part des entrepreneurs. Pendant trois mois, le directeur général servira donc d'intermédiaire entre le maire et Roger Desbois, qui se chargera à son tour de rencontrer les entrepreneurs pour leur annoncer quels contrats ils décrocheront. Turbide ne recevra finalement jamais sa quote-part pour son rôle occulte, car il quittera la Ville en juin 2008 avant d'y revenir quelques années plus tard.

Au bout de quelques semaines, Vaillancourt confie directement à Desbois la tâche de décider du gagnant. Il le convoque dans son bureau de l'hôtel de ville et ne lui fournit qu'une directive : « Donne pas les mêmes aux mêmes. » L'ingénieur comprend par là que pour ne pas trop éveiller les soupçons, il doit varier un peu le type et l'ampleur des contrats qu'il assigne à chaque entrepreneur, racontera-t-il aux procureurs de la Couronne quelques années plus tard.

Jusque-là, Roger Desbois accomplissait son rôle de collecteur d'enveloppes de manière si docile qu'il n'avait jamais demandé d'être payé pour son activité criminelle. Mais le maire lui propose de toucher personnellement une commission pour cette charge de travail supplémentaire qu'il lui confie.

Desbois n'a pas besoin d'être un fin négociateur. Vaillancourt est généreux et lui demande sans détour « combien [il] veu[t] ? ». Dans sa tête, Roger Desbois pense d'abord au chiffre de 2 %. Il évoque le chiffre de 5 %. Contre toute attente, Gilles Vaillancourt lui fait une contre-offre à 7,5 %. « Prends 10 % », finit par dire Vaillancourt après un moment de silence. Si toutes les ententes étaient aussi faciles...

En plus d'offrir un service hors pair de collecte de ristournes et de dépanner au besoin pour décider quels entrepreneurs auront les contrats, Roger Desbois développe aussi une expertise pour autoriser de faux extras ou falsifier les quantités de matériaux réellement utilisés par un entrepreneur.

En sa qualité d'ingénieur mandaté par la Ville pour surveiller bon nombre de chantiers, c'est à lui de confirmer à la Ville que les paiements additionnels demandés par les entrepreneurs sont légitimes. Desbois a l'autorité pour s'assurer qu'il n'y a pas d'abus, mais dans les faits, il facilite les abus. Par exemple, si un chantier a réellement nécessité 400 tonnes de gravier, Desbois demande plutôt à la Ville le paiement de 500 ou 600 tonnes, pour « accommoder » l'entrepreneur.

En retour, il se fait graisser la patte, moyennant un paiement en argent comptant qui correspond à 8 ou 10 % des extras reçus. Au fil des années, Desbois autorise ainsi des faux extras de plus de 5 millions $. Du travail ou des matériaux fictifs pour lesquels les Lavallois n'auraient autrement jamais payé. En retour, il récolte personnellement presque 450 000 $ en pots-de-vin, sous la forme d'argent comptant ou de voyages.

L'intérim de Roger Desbois en tant que distributeur des contrats de construction sera de courte durée. Il n'aura le temps de truquer au plus que 15 à 20 contrats. Entre-temps, Gaétan Turbide a identifié le véritable successeur de Claude Deguise. Il s'agit de Jean Roberge, un technicien en génie qui est l'ex-patron de la firme Équation groupe conseil. Le seul hic : comme Roberge ne porte pas le titre d'ingénieur, il serait très mal vu de le nommer au poste de directeur du service de l'ingénierie.

En mai 2008, Vaillancourt décide donc de nommer Gérard Poirier, un fonctionnaire en fin de carrière, à titre de directeur de l'ingénierie. Roberge sera son directeur adjoint, mais dans les faits, c'est lui qui se chargera de décider des gagnants des contrats. Il sera la personne idéale pour occuper ce rôle, ayant déjà lui-même payé sa ristourne de 2 % avant de passer du secteur privé à la fonction publique. Quoi de mieux que quelqu'un qui connaît déjà le « système » pour en graisser les engrenages ?

Roberge est rapidement fonctionnel. Il valide la liste des gagnants des contrats avec le maire, qui n'a qu'à hocher la tête pour faire comprendre sa volonté. Sous son égide, l'annonce du gagnant désigné des contrats est plus discrète que lorsque Claude Deguise s'en chargeait. Seul l'entrepreneur René Mergl, de la firme Nepcon, se rend dans le bureau de la Ville pour chercher la liste des gagnants. Les entrepreneurs iront ensuite voir Mergl directement, à l'abri des regards, pour connaître le projet qui leur a été assigné. Jean Roberge est rapidement promu directeur général adjoint. Par contre, il se montre moins utile que son prédécesseur, Claude Deguise, quand vient le temps d'aider Roger Desbois à faire sa collecte. Il lui remet la même liste officielle de tous les gagnants des appels d'offres, sauf qu'elle ne contient pas les fameux X dans la marge qui indiquaient à Desbois qui collecter.

Deux semaines après l'arrivée de Roberge, Turbide, épuisé, « vidé par tout ce qui s'est passé », donne sa démission le 15 juin 2008. « Le système continuait. Le maire me demandait encore les listes, et faisait encore la répartition [des contrats] », déclarera-t-il à la barre des témoins au procès de Tony Accurso.

À l'instar de Claude Deguise, le directeur général ne veut pas partir les mains vides. D'autant plus que lorsqu'il a quitté la STL pour se joindre à la Ville, fin 2003, il a renoncé à l'indemnité de départ de 168 000 $ à laquelle il avait droit. Il aurait été mal vu qu'il empoche une si grosse somme alors qu'il quittait son emploi pour un autre dans la fonction publique. En contrepartie, Turbide avait négocié que ses années d'ancienneté à la STL soient reconnues lorsqu'il quitterait la Ville. C'est avec ces arguments qu'il se présente dans le bureau de Gilles Vaillancourt pour négocier les conditions de son départ. « Vous m'avez fait faire pas mal de travail pour vous. Le jeu des listes », lui rappelle Gaétan Turbide.

Bon joueur, Vaillancourt s'inspire de ce qu'il avait fait dans le cas de Claude Deguise et décide de verser une autre prime de départ secrète. Gaétan Turbide touchera donc 130 000 $ en argent comptant. C'est Roger Desbois qui lui remettra ce cadeau en trois versements, puisés à même la caisse occulte qui contient les pots-de-vin remis par les entrepreneurs. Turbide est mal à l'aise avec les actes de corruption et de collusion auxquels il a participé à la Ville de Laval. Il aime penser qu'il n'a pas voulu collaborer pleinement avec les fraudeurs qui l'entouraient. Néanmoins, même libéré de l'emprise du Monarque, il ne deviendra pas honnête du jour au lendemain. Turbide cachera au fisc son indemnité de départ occulte, et ce n'est que lorsqu'il deviendra délateur pour la police, en 2013, qu'il révélera avoir touché ce montant.

Les deux prochaines années seront très payantes pour Gaétan Turbide. Il fonde la firme Octopus avec un investisseur, l'homme d'affaires Benoit Gallant. Octopus est spécialisée dans l'acquisition d'entreprises et réalise un coup de circuit en 2009 lorsqu'elle achète la firme Aqua-Rehab. Cette entreprise réhabilite les conduites d'aqueduc par gainage, une technique qui évite de devoir démolir complètement la chaussée lors des travaux. Ce genre d'intervention est de plus en plus prisé par les municipalités québécoises, et Aqua-Rehab est en pleine croissance. Laval lui octroie plusieurs contrats. Turbide gagne 350 000 $ par année pour diriger Octopus. À son départ, après deux ans, Benoit Gallant rachète les actions de Turbide pour 700 000 $. Décidément, Gilles Vaillancourt a eu raison de déclarer au *Courrier Laval*, lors du départ de Turbide, que ce dernier avait « accepté une excellente occasion d'affaires avec des conditions qu'aucun corps public n'aurait pu égaler ».

À l'automne 2009, Roger Desbois n'a plus trop le cœur à la fête. L'ingénieur est de plus en plus nerveux parce qu'à la télévision et dans les journaux, des reportages font état de soupçons de malversations dans l'organisation des élections municipales. Il est question de financement illégal et d'enveloppes d'argent comptant, notamment au ministère des Transports du Québec et dans la course à la mairie de Montréal.

Depuis quelques mois, des entrepreneurs ont décidé d'arrêter le versement de la ristourne. L'entrepreneur Patrick Lavallée, de J. Dufresne Asphalte, vient voir Desbois pour « fermer son dossier ». Il lui donne 125 000 $ en un seul paiement. « Je m'en rappelle très bien. Quand je l'ai vu sortir ça sur la table, ça impressionne », dira Desbois en cour. L'ingénieur, mal à l'aise avec son rôle de collecteur occulte, décide de tout arrêter. Il rencontre Pierre Lambert pour une dernière fois. Fidèles à leurs habitudes, les deux hommes se retrouvent dans le stationnement intérieur de Tecsult après avoir pris leur café. « Il m'a demandé, penses-tu qu'il y a des caméras ? » témoignera Desbois en cour, plusieurs années après. Desbois et Lambert conviennent donc de conduire leurs véhicules respectifs jusqu'à un autre café situé plus loin sur le boulevard Saint-Martin, mais même à ce nouveau point de rendez-vous, le malaise persiste. L'échange s'effectue finalement « dans une petite rue tranquille, parallèle à Saint-Martin », en face de Dessau (ironiquement, une autre firme impliquée dans la collusion). « Moi, j'ai dit à ce moment-là, c'est le dernier transfert. Il n'y en aura plus d'autres », se souviendra Desbois. À ce moment, ce dernier sait qu'il prendra bientôt sa retraite. Il aura bientôt 72 ans.

À la fin 2010, quelques jours avant son départ, Desbois se rend dans la voûte au sous-sol de chez Aecom et prend les 106 200 $ restants pour les apporter chez lui. Très conscient des gestes illicites qu'il a posés au cours de la dernière décennie, il trouve une caution morale. Il réussit à se convaincre que cette somme correspond au salaire que Gilles Vaillancourt lui avait dit d'empocher personnellement en retour de ses services de distributeur de contrats. Il cache les liasses de billets bruns dans son cellier. Jusqu'à ce qu'il reçoive la visite de la police, il aura le temps d'en dépenser 26 000 $. Il mettra aussi à part 7000 $, anticipant devoir payer ses avocats.

Ainsi s'éteint le cartel des entrepreneurs, mais ces derniers, tout comme Gilles Vaillancourt et sa bande, auront eu le temps de s'en mettre plein les poches. Puisqu'ils étaient à l'abri de la concurrence pendant plus d'une quinzaine d'années, ils ont pu gonfler artificiellement leurs marges de profit, et donc le prix des contrats. Dans d'autres villes où elles sont placées en concurrence, les entreprises visent des marges de profit de 10 %. Ce chiffre s'approche dangereusement du 0 % lorsque le carnet de commandes est mince. Au royaume de Vaillancourt, les marges de profit ont plutôt atteint jusqu'à 30 %, et personne ne s'en est plaint. De quoi absorber sans problème les dizaines de milliers de dollars d'argent comptant qu'elles ont dû payer.

LE CARTEL DES INGÉNIEURS

Les contrats d'ingénierie, eux, ne font pas véritablement l'objet de collusion avant 2002. La raison est bien simple : jusqu'à cette date, la Ville de Laval est libre d'octroyer les mandats de gré à gré, c'est-à-dire en s'entendant directement avec les entreprises de son choix.

Gilles Vaillancourt, Claude Asselin et Claude Deguise sont donc libres de favoriser les « amis » de la Ville sans commettre de geste illégal. Tout change en 2002. Le gouvernement du Parti québécois, alors dirigé par Bernard Landry, impose le projet de loi 106, qui oblige les municipalités à aller en appel d'offres public pour tous les mandats dont la valeur dépasse 100 000 $. Les Villes doivent également inviter au moins deux firmes de leur choix à soumissionner lorsque la valeur du mandat est entre 25 000 $ et 99 999 $. Seuls les mandats de moindre importance, dont la valeur n'atteint pas 25 000 $, peuvent encore être octroyés de gré à gré. L'objectif des changements proposés par le ministre des Affaires municipales de l'époque, André Boisclair, est louable : permettre aux villes de payer de plus bas prix en favorisant la concurrence. Sauf qu'à Laval, cela entraînera plutôt la commission d'actes criminels.

Alors que le projet de loi est en préparation à l'Assemblée nationale, Jean Roberge, technicien en génie pour la firme Plante et associés, se porte actionnaire de l'entreprise pour laquelle il travaille et qui l'a embauché dès sa sortie des bancs d'école, une quinzaine d'années auparavant. La firme prend alors le nom de Groupe Équation. Nouvel associé, Roberge sait qu'il devra investir beaucoup de son temps dans le développement des affaires, c'est-à-dire entretenir les clients et en trouver de nouveaux afin d'assurer la prospérité de l'entreprise. Cela ne l'embête pas trop ; il apprécie cet aspect du métier pendant que certains collègues se concentrent sur l'aspect plus technique de leur travail.

Jean Roberge ne vise pas les plus gros mandats, du moins dans l'immédiat. Il sait que sa firme de 25 employés ne peut rivaliser avec les Dessau, Génivar et CIMA+ de ce monde, des entreprises qui embauchent des centaines de personnes. Par contre, il se verrait bien décrocher sa part des contrats dans la tranche de 25 000 à 100 000 $, c'est-à-dire ceux qui requièrent l'invitation de deux firmes.

Selon la nouvelle loi du gouvernement Landry, le processus d'octroi de ces contrats de moyenne envergure comportera deux étapes, ou « deux enveloppes », dans le jargon. Les Villes devront d'abord ouvrir une première enveloppe fournie par les deux entreprises invitées, et effectuer une évaluation qualitative de leur soumission. Par exemple, la Ville évalue à ce moment l'expérience du personnel et les réalisations antérieures des candidates. Si l'entreprise obtient une note qualitative d'au moins 70 points sur 100, la Ville procède alors à l'ouverture de la seconde enveloppe, qui contient le prix de la soumission. Elle effectue ensuite une pondération du prix et de la note qualitative pour déterminer l'heureux gagnant.

Jean Roberge fait alors la rencontre de Jean-Marc Melançon, le chef de cabinet du maire Gilles Vaillancourt. « Il m'a mentionné que si j'étais bon avec le politique, le politique serait bon avec moi », déclarera le technicien en génie au procès de Tony Accurso en 2017, dans un témoignage pour expliquer comment les firmes de génie ont pu s'assurer de leur part des contrats publics à Laval. Melançon fait ensuite le nécessaire pour que Jean Roberge puisse discuter avec le maire Vaillancourt en personne.

La rencontre d'une vingtaine de minutes a lieu dans le bureau du maire, à l'hôtel de ville, et se déroule sur un ton très cordial. Jean Roberge s'en frotte les mains ; Vaillancourt vient de lui assurer que sa firme aura une place à Laval si elle fait ses devoirs. C'est le début d'une belle et harmonieuse relation. Au cours des six années suivantes, Équation sera invitée sur une vingtaine de mandats de 25 000 $ à 100 000 $, soit exactement le genre de contrats qu'elle convoitait, et en remportera une quinzaine.

Par « devoirs », bien sûr, on entend donner une ristourne en argent comptant destinée à financer le PRO des Lavallois. Jean Roberge l'a bien compris et est disposé à payer sans rechigner. Jean-Marc Melançon lui dit d'aller voir le notaire Jean Gauthier pour verser une ristourne qui correspondra à 2 % de son chiffre d'affaires annuel avec la Ville de Laval.

Et c'est bien là la subtile différence avec la ristourne que doivent payer les entrepreneurs. Ces derniers ne payent le 2 % que sur les contrats qu'ils obtiennent grâce à la collusion, tandis que les ingénieurs font le calcul sur l'ensemble des contrats qu'ils obtiennent auprès de la Ville, collusoires ou pas.

Jean Roberge prend donc rendez-vous avec le bureau du notaire, sur le boulevard Curé-Labelle. Dès leur première rencontre, il apporte un cartable qui contient une enveloppe cachetée avec 10 000 $ à l'intérieur. Sans poser de question sur le montant, sans même ouvrir l'enveloppe pour vérifier son contenu, Gauthier ouvre une chemise de travail et la glisse à l'intérieur. Gauthier et le Groupe Équation ont fait leurs devoirs et ces derniers continueront de recevoir des contrats de la Ville de Laval. Moins de 18 mois plus tard, le technicien en génie remettra une autre enveloppe contenant 8000 $ à Gauthier.

Jean Roberge ne se contente pas des enveloppes d'argent comptant pour rester dans les bonnes grâces de Vaillancourt. Deux employés de sa firme servent également de prête-noms pour faire des contributions au PRO des Lavallois. Roberge donne également de beaux cadeaux de Noël. Il y a bien sûr ceux d'une valeur assez modeste remis aux clients privés ainsi qu'à quelques fonctionnaires municipaux, comme les bouteilles de vin et les cartes-cadeaux d'une valeur qui ne dépasse pas 100 $. Mais à deux occasions, le patron du Groupe Équation remet des cartes-cadeaux d'une valeur de 3000 $ à 4000 $ à Claude Deguise, le directeur de l'ingénierie à la Ville.

Finalement, Roberge trouvera aussi le moyen d'être généreux avec le directeur général Claude Asselin. En 2005, il fournit gratuitement les plans et devis pour la construction d'une fondation hydrofuge pour la luxueuse maison qu'Asselin est en train de se faire bâtir, dans le quartier Sainte-Dorothée, sur le bord de la rivière des Prairies. Roberge envoie bien une facture symbolique de 1500 $ qui est loin de refléter la vraie valeur de ses honoraires, mais Asselin ne la paiera jamais. Pour Jean Roberge, il n'y a pas de quoi écrire à sa mère. Le dirigeant d'entreprise n'insistera pas, sachant fort bien qu'il doit entretenir de bonnes relations avec certains dirigeants lavallois pour continuer à avoir des contrats publics.

À l'hôtel de ville, ces dirigeants s'activent pour décider illégalement qui obtiendra les contrats d'ingénierie dont la valeur dépasse 25 000 $. Comme il le faisait avant l'entrée en vigueur du projet de loi 106, Gilles Vaillancourt et Claude Asselin s'entendent sur le pourcentage des contrats de génie que chaque firme obtiendra au cours de l'année. Les firmes dans les bonnes grâces du maire se voient chacune attribuer une part de marché. Dessau et Tecsult, par exemple, ont chacune droit au quart de l'enveloppe budgétaire totale. Les firmes plus modestes n'ont qu'un ou deux contrats par année, ou encore n'obtiennent que les petits mandats, selon leur capacité de réalisation. Tout comme dans le cas des contrats de construction, le Monarque s'assure de contenter tous ceux qui sont dans ses bonnes grâces.

Selon l'enquête policière, les firmes de génie favorisées pour obtenir des contrats sous le règne Vaillancourt sont : Dessau, CIMA+, Génivar, FMA, Équiluqs-Jobin Courtemanche, MLC, Équation, Tecsult-Aecom, BAFA.

Une fois que le Monarque est satisfait de la répartition des contrats, Asselin se tourne alors vers Claude Deguise qui, comme il le fait avec les entrepreneurs, contacte les ingénieurs « gagnants ». Tout comme dans le cas des contrats de construction, des appels d'offres sont lancés pour sauver les apparences.

Deguise remet ensuite au gagnant désigné la liste des entreprises qui se sont procuré les documents de soumission. Il laisse les ingénieurs s'entendre entre eux pour fixer les prix et ainsi s'assurer que la part de marché de chacun soit respectée. Le perdant désigné envoie une soumission de complaisance et son rival l'emporte sans être inquiété. Pour les contrats de 25 000 $ à 100 000 $, c'est encore plus simple à organiser, alors que le gagnant n'a qu'à s'entendre avec une seule firme.

LE NOTAIRE COLLECTEUR D'ENVELOPPES

Les firmes de génie n'attendront pas de bénéficier d'un stratagème de collusion en 2002 pour financer illégalement le parti de Gilles Vaillancourt. Marc Gendron, fondateur de la firme Gendron Lefebvre dans les années 1960, sera particulièrement clair à ce sujet, dans une déclaration sous serment au procès de Tony Accurso. « De tous les contrats que j'obtenais, on donnait une ristourne. C'était comme ça dans le temps de Duplessis, et on a embarqué dans cette patente-là », admettra-t-il.

Gendron est bien placé pour le savoir, lui qui travaille sur le territoire lavallois depuis 1965. « On remettait, en général, 2 % de nos honoraires. Je le faisais calculer par la comptabilité. » Le vice-président de la firme Tecsult aura lui aussi ses rendez-vous ponctuels avec le notaire Gauthier pour payer sa dîme dans une enveloppe. Il débourse au moins 25 000 $ par année pour avoir le privilège de travailler à Laval. L'ingénieur se procure cet argent liquide au siège social de Tecsult situé au centre-ville de Montréal, des mains du PDG Luc Benoit. Après la retraite de Gendron, en 2006, c'est son successeur Roger Desbois qui prend la relève pour payer la ristourne de Tecsult. Desbois donne 25 000 $ à Jean Gauthier en 2007. L'année suivante, la firme américaine Aecom se porte acquéreuse de Tecsult. Luc Benoit, qui fournit également les liasses de billets à Roger Desbois, lui fait comprendre que le versement pour 2008 sera le dernier. Desbois se rend donc voir Gauthier et lui remet 50 000 $ pour « fermer le dossier » de Tecsult.

Les méthodes du cartel des firmes de génie ne restent pas secrètes bien longtemps. David Cliche, député de Vimont de 1994 à 2002 pour le Parti québécois, explique avoir recueilli les témoignages de plusieurs ingénieurs, au fil des années, à propos de leur relation d'affaires avec Gilles Vaillancourt. De l'extérieur, il trace un portrait flou du stratagème, à partir de ce qu'on lui a raconté. « Essentiellement, ce que les ingénieurs et les architectes m'ont conté, et plusieurs fois plutôt qu'une : "Il disait je te donne 1 million $ d'honoraires sur tel contrat. Là-dessus tu vas faire 15 % de profit, 150 000 $. Tu me dois 10 % de ça." C'était ça la dîme. Il fallait que les gens aillent lui porter 15 000 $ en beaux billets du dominium. La moitié allait dans sa poche à lui. L'autre moitié allait aux pauvres. C'est ce que j'entendais. » À la même époque, les médias s'intéressent également aux activités des firmes de génie sur le territoire lavallois, mais sans jamais mettre le doigt sur le réel complot.

Dans les années 2000, le journalisme d'enquête qui s'intéresse à la corruption et à la collusion n'en est qu'à ses débuts. Il faudra des années avant d'exposer le système de copinage et de ristournes. En 2009, Radio-Canada révèle que la firme Dessau a préparé les plans et devis et fait la surveillance de contrats totalisant 11 millions $ qui ont été exécutés par des compagnies de Tony Accurso. Or, les deux firmes sont également partenaires d'affaires à Montréal. Comment une firme peut-elle effectuer correctement la surveillance d'une autre firme qui est en fait un partenaire dans d'autres dossiers ? La société d'État se demande si les deux firmes ne sont pas en situation potentielle de conflit d'intérêts.

Jean Gauthier sera arrêté par l'UPAC en 2013 dans le cadre de la rafle du projet d'enquête Honorer. Convoqué quelques semaines plus tard devant la commission Charbonneau, l'ex-notaire se montrera alors têtu et peu collaborateur. Il jurera sous serment n'avoir jamais parlé des pots-de-vin avec Gilles Vaillancourt et dira ignorer pourquoi on lui avait confié un rôle aussi névralgique dans le stratagème criminel. Il affirmera aussi avoir cessé sa mission clandestine en 2006, pris de remords après avoir entendu le témoignage de l'ex-ministre Marc-Yvan Côté devant la commission Gomery. Côté, rappelons-le, s'était converti en un toxique organisateur politique qui a été banni à vie du Parti libéral du Canada après avoir reconnu publiquement qu'il avait distribué 120 000 $ dans des enveloppes pour rembourser les dépenses électorales de candidats libéraux. Il a aussi été arrêté par l'UPAC en 2016 avec l'ex-vice-première ministre du Québec, Nathalie Normandeau, dans ce que la police décrit comme un stratagème de corruption.

C'est l'agent officiel du PRO, Jean Bertrand, qui prend la relève comme collecteur de fonds des firmes de génie à partir du moment où ce stratagème s'essouffle. Bertrand, qui est aussi avocat, informe en 2007 le maire qu'il souhaite quitter progressivement ses fonctions au PRO. Vaillancourt lui suggère alors de prendre 100 000 $ dans la cagnotte du parti à titre de dédommagement, pour services rendus. Bertrand prend finalement 40 000 $. Bertrand et Gauthier, qui ont œuvré pendant tant d'années ensemble au PRO, restent proches. La police mettra d'ailleurs la main sur des enregistrements de leurs conversations téléphoniques le 4 octobre 2012, le jour même où l'UPAC perquisitionne à l'hôtel de ville de Laval et chez le maire. C'est

Mélanie, la fille de Jean Gauthier et employée municipale, qui alerte alors son père.

La plupart des ingénieurs qui ont fait de la collusion et du financement illégal à Laval utiliseront des méthodes semblables dans d'autres villes. Dessau, Génivar et CIMA+, par exemple, admettront à la commission Charbonneau avoir fait partie du cartel des contrats publics à Montréal, et participé à des stratagèmes de prête-nom pour du financement politique municipal ou provincial. À partir de 2012, l'industrie québécoise du génie-conseil vivra une véritable purge. Le défi des firmes pour se refaire une virginité, au moins dans l'œil du public, sera considérable. De nombreux dirigeants d'entreprise, dont les frères Sauriol de Dessau, ou Kazimir Olechnowicz de CIMA+, seront poussés vers la sortie.

Certaines entreprises changeront carrément de nom, comme Génivar qui profitera de l'achat de la firme britannique WSP, finalisé en janvier 2014, pour prendre le nom de cette dernière. La plupart des firmes de génie qui ont participé à la collusion s'inscriront aussi au programme de remboursement volontaire mis en place par le gouvernement du Québec. Ce programme leur permettra de négocier avec les Villes et organismes publics qu'elles ont volés afin de rembourser une partie des sommes subtilisées. Finalement, l'Ordre des ingénieurs du Québec se lancera dans une vaste campagne de relations publiques pour redorer l'image de la profession.

11

L'ARGENT LEUR SORT
PAR LES OREILLES

Pour fonctionner, l'organisation criminelle de Gilles Vaillancourt a besoin d'argent comptant. Beaucoup d'argent comptant. Elle doit ensuite trouver un moyen de blanchir les liasses de billets obtenues en grande partie grâce à la fausse facturation... Quel heureux problème! Les bénéficiaires seront nombreux au fil des années. Parmi eux, quelques proches du maire toucheront de jolis magots, ainsi que le parti politique du Monarque qui ne manquera jamais de liquidités grâce à un stratagème de prête-noms

LA MAGIE DE LA FAUSSE FACTURATION

Les billets verts, bruns et roses ne poussent pas dans les arbres. Comment se procurer chaque année l'argent comptant nécessaire pour payer la ristourne à l'administration Vaillancourt? Pour obtenir des montants modestes d'au plus quelques milliers de dollars, les patrons des firmes de génie et de construction utilisent un stratagème relativement simple.

Marc Gendron expliquera en 2017 que lorsqu'il avait un achat personnel d'une certaine importance à faire, il le payait avec un chèque ou une carte de crédit de Tecsult. Puis, il remboursait cette somme, en argent comptant, dans la petite caisse de l'entreprise. L'achat d'un billet d'avion pour les vacances, par exemple, est une excellente occasion d'employer ce stratagème. Pour des sommes un peu plus grosses, Gendron utilise sa propre compagnie, Magesco, pour facturer son employeur. Il empoche ensuite l'argent à titre personnel en toute apparence de légalité aux yeux des autorités fiscales, via une fausse allocation de dépenses de l'entreprise Magesco. Finalement, il remet les sommes en argent comptant dans la caisse de Tecsult.

Mais quand les sommes à fournir atteignent 40 000 $ ou 100 000 $, il faut utiliser des moyens plus sophistiqués. Les payeurs de pots-de-vin se livrent alors à de la fausse facturation à grande échelle, avec la complicité de firmes qui n'existent que pour ce stratagème, et qui réussiront à déjouer le fisc pendant des décennies.

La firme qui a besoin d'argent comptant (entreprise A) a besoin de la complicité d'une autre firme (entreprise B), appelée dans le jargon une entreprise accommodatrice. Officiellement, l'entreprise B fait affaire dans l'offre de services, par exemple le transport ou la location de camions ou de machinerie. Mais c'est souvent une coquille vide, qui ne dispose ni de locaux ni de matériel. Certaines entreprises accommodatrices n'existent que pour les stratagèmes de fausse facturation. L'entreprise B fournit donc un faux bon de commande, disons de 20 000 $, à l'entreprise A, qui la paye en lui émettant un chèque de 20 000 $. L'entreprise B se rend dans un centre d'encaissement, et obtient donc 20 000 $ comptant. Elle garde une commission de 10 %, soit 2000 $, et remet le 18 000 $ restant à l'entreprise A.

Pour l'entreprise A, c'est une façon facile d'obtenir de l'argent comptant dont elle peut disposer à sa guise, et aux yeux du fisc, la facture qu'elle a payée à l'entreprise B s'inscrit dans le cours normal de ses activités. Découvrir de tels stratagèmes est difficile pour les autorités. Il faut prouver que les services pour lesquels l'entreprise A a payés n'ont jamais été rendus, ou que l'entreprise B n'a rien offert d'autre qu'un faux bon de commande. Et pour tourner le fer dans la plaie, de nombreuses entreprises utilisent ces dépenses fictives pour demander des crédits d'impôt additionnels accordés par le fisc sur les achats des entreprises.

En mars 2014, devant la commission Charbonneau, Martin Cloutier, un chef de service à Revenu Québec, estimera de façon conservatrice que la fausse facturation dans le domaine de la construction entraîne des pertes fiscales de 1,5 milliard $ par année pour le gouvernement provincial. De quoi se payer, comme société, un nouveau super hôpital comme le CUSM, près de l'échangeur Turcot, ou le CHUM, au centre-ville de Montréal, chaque année.

Nicolas Théberge, ingénieur pour la firme Sintra, est l'un de ceux qui utilisent les fausses factures pour payer la dîme destinée au clan Vaillancourt. En 2005, le jeune ingénieur de 35 ans obtient une belle promotion à titre de directeur régional pour l'entreprise, à Laval. Son patron Normand Bédard le prévient que pour faire des affaires sur le territoire de Gilles Vaillancourt, il faut payer la ristourne de 2 % en argent comptant, et donc trouver des dizaines de milliers de dollars en comptant, chaque année.

C'est Gilles Gauthier, propriétaire d'une entreprise de transport avec laquelle Théberge fait déjà affaire pour transporter de l'asphalte ou des matériaux de démolition, qui lui offre la solution. Au procès de Tony Accurso, Théberge racontera que Gauthier lui propose d'utiliser de fausses factures de camionnage. Théberge signe donc de faux bons de commande payés par chèques à la firme de Gilles Gauthier. Ce dernier encaisse les chèques en argent comptant et lui remet 80 % du magot. « Un camion, ça coûte 1000 $ par jour. Moins le 20 %, c'est 800 $ d'argent comptant que ça peut ramener, un camion, en une journée », décrira Nicolas Théberge devant le juge James Brunton et les 12 membres du jury.

Les autorités ne se rendent compte de rien, puisque les fausses factures sont dissimulées avec les vraies factures de camionnage payées par Sintra. L'ingénieur accumulera tellement d'argent qu'il devra louer deux coffres-forts, sur le boulevard Saint-Martin, pour entreposer son magot. Il remettra 250 000 $ comptant, au fil de trois rencontres successives, à Marc Gendron. En échange de son aide à la police, Théberge ne sera accusé de rien, mais sera radié pendant huit mois et mis à l'amende pour 8000 $ par son ordre professionnel.

Pour sa part, Gilles Gauthier sera épinglé en 2013 par Revenu Québec. Le 4 novembre 2013, au lendemain des élections municipales qui placent Marc Demers à la tête de la Ville, le fisc dépose 672 chefs d'accusation et des amendes de plus de 4 millions $ contre Gauthier et deux de ses entreprises.

À en croire certains acteurs du stratagème criminel de Laval, le manège de l'argent comptant peut impliquer le plus haut niveau hiérarchique des entreprises. Chez Sintra, par exemple, Gilles Théberge affirme que c'est Thierry Genestar (PDG de 1992 à 1998) qui lui remet les liasses de billets, dans son bureau. Mario Desrochers soutient que c'est Daniel Ducroix (PDG de 1998 à 2003), puis Normand Bédard (PDG de 2003 à 2006) qui lui fournissent l'argent. De ces trois hauts dirigeants, seul Bédard sera arrêté et accusé.

LES PROS DU FINANCEMENT ILLÉGAL

« Il y a de l'argent sale qui permet de faire des élections. » Jacques Duchesneau fait froncer bien des sourcils lorsqu'il affirme, le 19 juin 2012 devant la commission Charbonneau, que 70 % de l'argent qui sert à financer les partis politiques provinciaux n'est pas net. Il enchaîne en parlant aussi d'une situation « très grave » présente dans les gouvernements municipaux, où d'impressionnantes quantités d'argent sont amassées. « On m'a aussi parlé qu'il y aurait des cotes qui sont répandues, notamment au niveau municipal. Pour obtenir des contrats, on doit donner à des partis municipaux », explique-t-il devant la juge France Charbonneau, en direct à la télévision.

Duchesneau, ex-patron de l'Unité anticollusion qui a tenté de faire le ménage au ministère des Transports en 2010 et 2011, est-il en train d'exagérer pour se donner en spectacle et mousser sa cote de popularité ? Pas du tout.

Même s'il ne nomme aucune ville en particulier lors de son témoignage, l'état des lieux qu'il décrit correspond parfaitement à ce qui s'est passé sous le règne de Gilles Vaillancourt et du PRO des Lavallois. Pendant 23 ans, la plus grande part du budget du parti politique de Vaillancourt sera bel et bien de l'argent sale. Et le maire de Laval réussira son coup sans recevoir une seule tape sur les doigts de la part du Directeur général des élections.

Dès sa naissance, le PRO, alors dirigé par Claude Ulysse Lefebvre, est loin d'être un modèle de respect des lois du financement politique. En 2012, un homme d'affaires qui veut garder l'anonymat confie à Radio-Canada que le parti tenait bel et bien une caisse occulte dans les années 1980. Les fonds amassés illégalement auraient atteint plus d'un million de dollars par année. « Il y a toujours eu une caisse occulte à Laval », va jusqu'à dire cette source. Lefebvre qualifiera ces propos d' « insinuations ». Ce dernier, décédé en janvier 2016, ne peut plus se défendre aujourd'hui.

Pendant le règne de Vaillancourt, la loi provinciale régissant le financement des partis politiques permet à chaque électeur de donner 1000 $ par année à chaque formation. Ils ont beau avoir le cœur sur la main, bien peu de Lavallois sont prêts à donner une telle somme, chaque année, pour encourager l'élection d'échevins à temps partiel dont le rôle se résume souvent à recueillir les plaintes et à gérer les services de collecte des ordures, de ramassage de la neige et d'entretien des parcs.

Le stratagème qui permet au PRO d'accumuler des millions de dollars en toute apparence de légalité passe par ses propres candidats. Ces derniers saignent-ils à blanc leurs propres comptes bancaires ? Bien sûr que non. Comme des dizaines d'autres partis municipaux partout au Québec, le PRO utilise ses candidats et les membres de leurs familles comme prête-noms.

Un organisateur du PRO fournit par exemple 3000 $ comptant à un candidat du parti. Cette somme provient d'une caisse occulte alimentée par les entrepreneurs et ingénieurs qui ont des contrats arrangés avec la Ville de Laval. Le candidat, de même que sa femme et son fils, font ensuite chacun un chèque de 1000 $ à l'ordre de la formation de Vaillancourt. Ce stratagème permet de « blanchir » le fameux 2 % reçu des entreprises. Ces dons « officiels » de 1000 $ sont bien sûr comptabilisés dans le rapport annuel remis au Directeur général des élections du Québec (DGEQ). Toutefois, pas un mot aux autorités sur le fait que les donateurs se sont fait rembourser en argent comptant par le parti même, ce qui est bien sûr illégal.

À partir de 1995, c'est l'avocat Jean Bertrand, agent officiel du parti depuis 1984, qui prend en charge le stratagème de remboursement des dons. Une vingtaine d'années plus tard, Bertrand soutiendra devant la commission Charbonneau que ce sont le notaire Jean Gauthier et l'entrepreneur Jean-Louis Le Saux qui lui ont confié ce rôle. Gauthier niera tout.

Chaque conseiller municipal de l'équipe Vaillancourt passe donc à la caisse pour recevoir l'argent comptant à blanchir. Le plus souvent, la distribution a lieu en marge de la séance du conseil municipal, une fois par mois. Hors de la salle du conseil, à l'abri des regards indiscrets, Bertrand distribue les enveloppes contenant des milliers de dollars. Les participants au stratagème ne sont pas des gens sans envergure. Benoît Fradet, ancien député libéral et vice-président de la firme Schokbeton, y participe en étant prête-nom et reçoit au fil des ans pas moins de 30 000 $ comptant. Même Basile Angelopoulos, vice-président du Comité exécutif et avocat par surcroît, trempe dans ce jeu illégal. L'entente avec les conseillers du parti de Gilles Vaillancourt est claire : ils doivent tous donner leur 1000 $ au PRO chaque année.

Bertrand effectue le suivi des dons de manière serrée. Claire Le Bel le découvre dès sa première année comme conseillère municipale pour le PRO, à la suite de son élection en 2009. « À un moment donné, M. Bertrand m'appelle et me dit : "Claire, t'as pas encore donné ton 1000 $." » Mère monoparentale de deux enfants et œuvrant dans le milieu communautaire, la conseillère municipale ne roule pas sur l'or. Les paiements de l'hypothèque sur sa maison passent avant les dons au PRO, et elle le fait bien comprendre à l'agent officiel. « Inquiète-toi pas avec ça, je vais passer te voir à ton bureau », répond Jean Bertrand.

Le porteur d'enveloppes se présente donc bel et bien à l'organisme L'Entraide, à Pont-Viau, dont Mme Le Bel est la directrice. Il apporte 1000 $ en liquide. Mais ce n'est évidemment pas pour faire un don de charité. Mal à l'aise, Claire Le Bel accepte l'enveloppe et promet de tout rembourser, mais Bertrand balaie cette suggestion du revers de la main et quitte les lieux, se disant pressé. La travailleuse sociale, qui a dédié sa carrière aux pauvres et aux personnes dans le besoin, vient de mettre le doigt dans l'engrenage du financement illégal.

Claire Le Bel recevra aussi 1000 $ l'année suivante. Cette fois, Jean Bertrand ne prend même pas la peine de lui remettre l'enveloppe en personne et la laisse à son attention à la secrétaire de l'organisme. Nous sommes alors en 2010 et le financement politique illégal fait de plus en plus souvent la manchette. Claire Le Bel ne supporte plus de participer à ce qu'elle considère comme un geste illégal. Elle appelle la secrétaire au PRO des Lavallois. « Je vais vous rapporter l'argent, vous n'avez pas le droit de faire ça », dit-elle au téléphone. Peu après, Jean Bertrand se présente, en colère, au bureau de Claire Le Bel. Il l'amène à l'extérieur de l'édifice. « Tu ne peux pas laisser des messages de même sur le téléphone. Si tu as quelque chose à me dire, tu me le dis, on sort et on se parle de vive voix », la sermonne-t-il. Résigné, l'agent officiel repart avec l'enveloppe.

Quelques années plus tard, Claire Le Bel parlera aux policiers et souhaitera faire amende honorable auprès du DGEQ, reconnaissant avoir pris part à du financement illégal pendant au moins un an. « J'ai appelé plein de fois. J'ai demandé quand j'aurais mon amende [pour financement illégal]. Ils ne me l'ont jamais donnée. »

De tous les conseillers municipaux dans l'équipe de Gilles Vaillancourt qui seront approchés au fil des années pour jouer les prête-noms, seul le conseiller Robert Plante, élu de 1984 à 2005 dans le district L'Orée-des-Bois, à Fabreville, refuse d'entrer dans la danse, selon ce que Jean Bertrand racontera en 2013 à la commission Charbonneau. Deux autres candidates du PRO, Martine Beaugrand et Francine Dubreuil, ne connaitront pas les rouages du financement politique illégal. Élues en 2009, elles ne seront tout simplement jamais approchées par Bertrand. À ce moment, les reportages médiatiques et les débuts d'enquêtes policières sur la corruption obligent les magouilleurs à être plus prudents.

Un autre conseiller municipal, Jean-Jacques Lapierre, nous raconte aussi qu'il n'a jamais accepté d'argent de Jean Bertrand pour rembourser ses propres contributions politiques. Comme seule entorse aux lois électorales, Lapierre admet en plus d'avoir versé de l'argent au nom de sa femme pour financer le PRO. Il n'écopera jamais de constat d'infraction de la part du DGEQ. Cependant, il se souvient que ce riche parti municipal rendait la vie très facile aux candidats, qui n'avaient pas à assumer la tâche ingrate de trouver des donateurs. « Moi, je donnais [au parti], c'était entendu qu'ils payaient toutes mes élections [...] C'était l'entente que j'avais », se souvient-il.

Ce ne sont pas uniquement les élus qui servent de prête-noms. À l'ère Vaillancourt, l'utilisation de ce stratagème est également largement répandue dans les entreprises. Le magnat de la construction Tony Accurso viendra donner un éclairage particulièrement candide de cette pratique, dans le cadre de son premier procès pour fraude et corruption en 2017. Accurso niera avoir financé le PRO de cette façon, mais expliquera en détail avoir eu recours, en toute connaissance de cause, aux prête-noms pour financer le Parti libéral du Québec.

Jusqu'en 2010, au provincial, la loi permet à chaque électeur de donner 3000 $ plutôt que 1000 $. Chaque année, à partir du début des années 2000, le grand argentier libéral Marc Bibeau demande à Tony Accurso 25 chèques de 3000 $ pour une contribution totale au trésor de guerre libéral de 75 000 $. Charles Caruana, un des fidèles lieutenants d'Accurso, avait comme tâche de trouver des volontaires au sein de la firme. Bien évidemment, ces derniers sont remboursés.

« Je faisais faire 25 chèques par année, et on livrait ça à monsieur Marc Bibeau, du Parti libéral, à Saint-Eustache. Ça servait de contribution [...] Les entreprises avaient le droit de rembourser la contribution. C'est comme ça que je l'ai compris, c'est comme ça que ça m'a été dit », décrira-t-il à la barre des témoins. « À peu près toutes les entreprises dans la province » fonctionnent alors de cette façon, même si la loi interdit le financement corporatif. « Monsieur Jean-Marc Fournier [alors ministre provincial de la Justice], en 2010, a clarifié la loi. Il a dit, on n'a plus le droit de faire des prête-noms. Alors on a arrêté [...] Mais avant ça, c'était 100 % légal », affirmera-t-il.

En 2013, les dispositions de la loi sur le financement des partis provinciaux changent à nouveau, pour mettre fin au simulacre de financement populaire qui a gangrené la politique pendant des décennies. Le montant maximal qu'un électeur peut donner chaque année à un candidat ou à un parti politique sera ramené à 100 $ au provincial et à 300 $ au municipal. Plus tard, à la suite d'un projet de loi présenté à la fin 2015, la limite sera aussi fixée à 100 $ au municipal.

Avec de tels seuils, il aurait été bien plus difficile pour Gilles Vaillancourt et ses complices de trouver suffisamment de prête-noms pour blanchir des millions de dollars.

L'ENTREPÔT DES MILLIONS

À son apogée, l'organisation criminelle du maire Gilles Vaillancourt est si bien rodée qu'elle génère beaucoup plus d'argent qu'elle ne peut en dépenser. Il y a tout de même des limites au nombre de prête-noms qu'un parti municipal sans opposition valable peut trouver une fois tous les quatre ans, ou aux dépenses électorales qu'il peut acquitter en argent comptant. Sans compter qu'étaler toute cette richesse pourrait éveiller des soupçons, même si les enquêtes du Directeur général des élections (DGEQ) et de la police ont bien peu de mordant jusqu'en 2010. Où donc entreposer les liasses de 20 $, de 50 $ et de 100 $ qui représentent ensemble des millions, fournies par les entrepreneurs et les ingénieurs qui font affaire avec la Ville ?

C'est Pierre Lambert, un avocat lavallois du bureau Dunton Rainville, qui fournit la solution. En 2006, le notaire-collecteur Jean Gauthier contacte Lambert pour lui offrir de jouer un rôle clé, celui de gardien de la caisse occulte du PRO. L'homme de loi indique à son interlocuteur, un autre homme de loi, qu'il recevra périodiquement des boîtes bourrées de billets. Lambert devra les mettre à l'abri des regards indiscrets en attendant qu'un représentant du parti lui fasse signe qu'il a besoin d'argent.

Roger Desbois, qui récolte à ce moment les pots-de-vin des entrepreneurs en construction, lui fera ainsi une dizaine de livraisons qui totalisent plus de 2 millions $, jusqu'en 2009. Pierre Lambert les laisse dormir dans un mini-entrepôt qu'il louait déjà pour y mettre des affaires de bureau. Par la suite, Gauthier et Bertrand prendront rendez-vous périodiquement avec Lambert pour venir chercher une fraction du magot. Mais pas assez pour l'épuiser complètement. Confronté par la police en mars 2013, Lambert remettra d'ailleurs 722 000 $ qui restaient dans cet entrepôt. « Dans notre groupe, on savait que monsieur Lambert transportait l'argent », se souvient l'ex-conseiller municipal du district Concorde / Bois-de-Boulogne, Jean-Jacques Lapierre, que nous avons rencontré.

Gilles Vaillancourt se sert aussi du butin pour récompenser directement ses plus fidèles lieutenants. Mais toujours via un intermédiaire, en gardant les mains propres. Le collecteur d'enveloppes Roger Desbois fera état à la police de deux rencontres qu'il dit avoir eues avec le maire. Par exemple, en 2008, Vaillancourt s'informe sur l'état des réserves dans la voûte située au sous-sol de chez Tecsult. C'est là que Desbois entrepose les millions remis par les entrepreneurs en construction qui participent à la collusion. « As-tu de l'argent dans la caisse ? » lui demande Gilles Vaillancourt. « Donne 20 000 $ à Jean Roberge », ordonne alors le Monarque sans préciser à quoi cette somme doit servir. « En même temps, tu vas donner 50 000 $ à Gaétan Turbide », commande aussi le maire.

Desbois s'exécute. En fait, c'est même Gaétan Turbide qui l'appelle, un peu plus tard, pour lui demander s'il peut passer au bureau de Desbois afin de récupérer l'enveloppe. En 2010, ce même Gaétan Turbide, qui a quitté la Ville pour aller travailler au privé, passe un coup de fil à Roger Desbois. « Est-ce que tu vois souvent le maire ? Rappelle-lui donc mon nom », lui demande-t-il. Desbois s'exécute lors de sa prochaine rencontre avec le maire. « Donne-lui un autre 50 000 $ », dit alors Gilles Vaillancourt. Roger Desbois donnera de l'argent comptant une troisième fois à Gaétan Turbide, pour une somme globale de « 110 000 $ à 130 000 $ », racontera-t-il à la police.

Les millions de dollars collectés par Vaillancourt et son entourage serviront donc autant à payer des élections qu'à enrichir personnellement les complices du maire. Dire que plusieurs entrepreneurs et ingénieurs moins proches du pouvoir pensaient, bien naïvement, que les billets qu'ils se procuraient grâce à la fausse facturation ne servaient qu'à financer la réélection de Gilles Vaillancourt.

12

VAILLANCOURT N'A RIEN INVENTÉ

Gilles Vaillancourt peut se targuer d'avoir dirigé le réseau de
collusion et de corruption le plus sophistiqué de la courte histoire de la Ville de Laval. Mais il n'a rien inventé ; il est seulement
le seul à s'être fait prendre. À Laval, les allégations de crimes à
la mairie sont bien documentées depuis la création de la Ville.
Au fil des années, plusieurs enquêtes policières seront menées,
mais une seule aboutira.

UNE VRAIE DYNASTIE

À la fin 2012, l'émission *Enquête* de Radio-Canada trace les
contours de 40 ans de pots-de-vin et de magouilles à l'hôtel
de ville de Laval. « Le système a commencé sous le régime du
maire Lucien Paiement, s'est peaufiné sous le régime du maire
Claude Ulysse Lefebvre et a pris son essor sous le régime du
maire Vaillancourt », y affirme en entrevue l'ex-journaliste André
Cédilot, spécialisé dans les affaires policières et judiciaires.
Le reportage de Christian Latreille fait notamment état d'un

pot-de-vin de 75 000 $ remis au maire Lucien Paiement, qui dirigea la Ville de 1973 à 1981. L'argent, sous forme de chèque, aurait été remis par une entreprise ontarienne qui voulait ouvrir un centre commercial. C'est le jeune policier Marc Demers, le même qui deviendra maire de Laval presque 40 ans plus tard, qui mène l'enquête. « Je pense que dans certains cas, il y a des matières à accusation, avec les éléments que moi j'ai vus », affirme-t-il en 2012 à Radio-Canada, peu de temps avant de se lancer dans la course à la mairie.

Les soupçons entourant le successeur de Paiement, Claude Ulysse Lefebvre, sont encore plus insoutenables. L'émission *Enquête* présente le témoignage d'un homme d'affaires qui dit avoir participé au système de corruption à Laval au début des années 1980, alors que Lefebvre occupe la mairie. « Il y a toujours eu une caisse occulte », fait-il remarquer, s'expliquant à la caméra derrière un paravent et avec la voix modifiée électroniquement afin de garder l'anonymat. « Entre 1981 et 1989, l'ex-maire Claude Ulysse Lefebvre et son collecteur de fonds Jean-Louis Le Saux auraient touché des millions de dollars. C'est Le Saux, un électricien, qui collectait l'argent des entrepreneurs », affirme Latreille dans son reportage. Selon le journaliste, pas moins de 200 000 $ comptant tirés de cette caisse occulte auraient été envoyés dans le paradis fiscal des Bermudes en 1982. « Cet argent-là a été transporté dans des valises à Montréal jusqu'aux Bermudes, ensuite de ça elle a été transférée en Suisse », décrit le journaliste. Ronald Bussey, ex-vice-président du comité exécutif de Laval de 1981 à 1984, dira même que Lefebvre et Le Saux ont collecté « des millions » de dollars. Confrontés par l'équipe d'*Enquête*, les anciens maires nient avoir amassé des pots-de-vin.

Serge Ménard, qui a été député de Laval-des-Rapides pendant dix ans jusqu'en 2003, estime que c'est de Lucien Paiement que

Gilles Vaillancourt a trouvé l'inspiration pour ses méthodes. « Il faisait de la politique à l'ancienne. Il faisait de la politique comme les gens qui l'ont précédé à Laval. En fait, il a fait de la politique comme le faisait Paiement. Il a appris jeune [le système], mais il l'a vraiment perfectionné », raconte-t-il.

À Laval, la culture des enveloppes ne se limite pas aux entrepreneurs, aux ingénieurs et aux promoteurs qui veulent faire des affaires sur le territoire de la Ville.

À une certaine époque, même les gens qui veulent obtenir un emploi dans la fonction publique doivent parfois donner un pot-de-vin. En 1987, Martin Fiset est embauché à la Ville de Laval. Début trentaine, on lui offre un poste de chef de la division de la dotation. Son mandat est de restructurer les processus d'embauche des employés municipaux. Il nous raconte qu'il devait « faire du ménage ». « C'était assez généralisé, pas juste à Laval, il y avait beaucoup de problèmes », se souvient-il. Aujourd'hui, ce qui est à la mode, c'est les appels d'offres, les ingénieurs, et tout ça. Mais à l'époque, c'était une job, une enveloppe. Même à Hydro-Québec... un emploi de ça valait 4000 $, un emploi de ci, ça valait ça... il fallait que tu payes. On était à l'époque du grand ménage. »

UN PHÉNOMÈNE QUI SE CALCULE

La recherche scientifique a récemment permis de trouver des traces sans équivoque de collusion jusqu'à la fondation de la ville de Laval. Maxime Reeves-Latour, du département de criminologie de l'Université de Montréal, a effectué un travail impressionnant à ce chapitre dans le cadre de sa thèse de doctorat. Dirigé par le professeur Carlo Morselli, il a analysé plus de 7000 appels d'offres pour des travaux de construction émis par la Ville entre 1965 et 2013, pour détecter des signes de collusion.

« Comme c'est souvent le cas en recherche sur la corruption et le crime organisé, ce qui était largement perçu comme l'œuvre d'un seul acteur influent [dans ce cas-ci, le maire] s'est avéré, au contraire, être un système [...] qui a précédé l'ascension au pouvoir de [Vaillancourt] par de nombreuses années et par plusieurs administrations politiques », écrivent les deux universitaires dans un résumé de leur étude publiée en anglais dans la revue spécialisée *Social Networks*.

Les chercheurs n'ont pas de preuve hors de tout doute de la collusion, mais ont découvert de sérieux indices. Par exemple, lorsqu'il n'y a pas un seul entrepreneur dominant, mais plutôt cinq à dix firmes qui ont toutes leur part du gâteau de façon régulière et structurée, c'est souvent signe d'une entente entre les joueurs. « Un groupe stable et régulier de gagnants des contrats peut être observé à partir des années 1970 dans les secteurs du pavage et de l'aqueduc. Pour le secteur de l'éclairage, un tel phénomène est évident à partir d'aussi loin que les années 1960 », écrivent-ils par exemple. Ainsi, dans le secteur du pavage, par exemple, « au fil des années, les gains et les soumissions des entreprises dominantes sont restés stables, ce qui laisse supposer que le partage des contrats entre les entreprises dominantes est devenu une façon normale de faire des affaires dans ce secteur ».

Les auteurs tracent même certains liens entre l'octroi des contrats et l'arrivée au pouvoir de nouvelles administrations à l'hôtel de ville de Laval. « Certains des changements les plus significatifs dans les réseaux de soumissionnaires ont coïncidé avec des événements politiques majeurs ou des changements dans les administrations politiques de Laval. ».

DES ÉCHECS POLICIERS

Bien avant le succès de l'enquête Honorer, à partir de 2012, la police s'est penchée sur le cas de Laval. Chaque fois, ce fut sans succès.

Au milieu des années 1970, la Sûreté du Québec déclenche une enquête sur l'administration du maire Lucien Paiement, dont Gilles Vaillancourt est l'un des élus les plus influents. Paiement fait alors l'objet de toutes sortes d'allégations concernant le financement illégal de son organisation politique. L'enquête policière s'intéresse au versement allégué de 75 000 $ par le groupe Oshawa, une entreprise ontarienne, pour le développement du Centre 2000 Hypermarché, un centre commercial situé dans Chomedey sur le boulevard Saint-Martin. L'endroit abritera à terme une soixantaine de magasins, mais tombera en désuétude à la fin des années 1990 avant d'être démoli. Des témoins ont affirmé aux policiers que les fameux 75 000 $ auraient été reçus par le maire Paiement et son secrétaire Pierre Viau.

Il est aussi question d'avantages dont aurait bénéficié l'épouse du maire, Paulette Hébert-Paiement, ainsi que de « huit autres [cas] au moins [qui] font l'objet de plaintes assermentées par des agents de la SQ », ajoute le journaliste qui a eu accès au dossier de police.

Le seul conseiller d'opposition à Laval, le notaire Bruno Faucher, interpelle publiquement le maire à ce sujet moins d'un mois avant les élections de 1977. « M. Faucher présentait son intervention comme une série de questions auxquelles le maire Paiement devrait répondre ; ce dernier a dit n'avoir rien à se reprocher, sinon d'avoir maintenu une caisse électorale "traditionnelle" », lit-on dans *Le Devoir*.

Déjà, les contours d'une culture éhontée de corruption se dessinent en public. La police a dans sa ligne de mire les plus

hauts gradés de l'hôtel de ville. « Il semble bien qu'une dou-
zaine de "bénéficiaires" de faveurs présumément accordées
par des compagnies puissent être énumérés, toujours sur la foi
des dossiers de police : le maire Paiement, qui aurait accepté
certains avantages avant même son accession à la mairie, à titre
de fonctionnaire de la Ville depuis 1965 ; sa femme Paulette et
ses trois fils, Serge, Luc et Marc ; le secrétaire du maire Pierre
Viau ; le gérant de la Ville, Marc Perron, qui autrefois exerça
la tutelle sur Laval au nom de la Commission municipale, et
enfin quatre membres du comité exécutif ; Jean-Louis Lambert,
Gilles Vaillancourt, Pierre Aubry et Raymond Fortin », poursuit
l'article du *Devoir*.

Les enquêteurs étoffent leur dossier d'une foule d'allégations
concernant le versement d'autres pots-de-vin allégués. « À Laval,
des firmes d'ingénieurs-conseils auraient offert des cartes-
cadeaux Birks au maire Paiement, au gérant Marc Perron ainsi
qu'à quatre membres du comité exécutif. Une compagnie, pour
obtenir des contrats de pavage et d'excavation, aurait défrayé
le voyage à Acapulco d'un fonctionnaire, Louis Morency. Des
travaux de 40 000 $ auraient été effectués par ou pour la firme
Louis Donolo inc. à la résidence d'été du maire dans le but de
favoriser l'obtention de contrats », écrit le journaliste Clément
Trudel du quotidien *Le Devoir* en octobre 1977.

Ainsi, les enquêteurs de la SQ allèguent que Lucien Paiement
aurait reçu pour 40 000 $ de travaux gratuits à sa résidence
d'été (le château Porter à Saint-André d'Argenteuil), de la part
du constructeur de l'hôpital Cité-de-la-Santé.

La police obtient aussi des informations sur des avantages
fournis aux élus par des firmes de génie. Paul-Aimé Sauriol, le
fondateur de Dessau, est notamment visé parce que son entreprise aurait donné des cartes-cadeaux de la bijouterie Birks à

quelques élus dont Gilles Vaillancourt et le maire Paiement. Les fils de Sauriol, Rosaire et Jean-Pierre, prendront plus tard la relève de l'entreprise et de ses méthodes douteuses de persuasion des élus.

Pourtant explosives, ces révélations de la fin des années 1970 ne débouchent sur aucune accusation criminelle, ni à l'encontre du maire Paiement, ni à l'encontre de Gilles Vaillancourt, ni à l'encontre d'un patron d'entreprise ou d'un promoteur. Une commission d'enquête sur les allégations à Laval, la commission Brabant, est par contre mise sur pied par le gouvernement provincial. Elle sera interrompue avant même de pouvoir produire un rapport, et certains partisans du maire affirmeront même qu'elle avait été mise sur pied de façon illégale.

La preuve amassée par la police à ce moment a-t-elle été prise au sérieux ? Les ressources nécessaires ont-elles été déployées au sein des corps policiers pour permettre aux enquêtes d'aboutir ? L'influence politique aurait-elle pu jouer un rôle ? La commission Poitras, une vaste enquête publique menée en 1997 et 1998 sur les pratiques de la Sûreté du Québec, mettra en lumière plusieurs lacunes au sein de ce corps policier. De manière générale, et sans porter spécifiquement sur le cas de Laval, elle identifiera des dossiers bâclés et des cas de policiers réticents à dénoncer un collègue qui aurait commis une faute professionnelle. Bref, une culture tout sauf transparente au sein du plus gros corps de police de la province, le seul mandaté par la loi provinciale, à l'époque, pour enquêter sur les crimes de corruption.

La prochaine fois que la Sûreté du Québec se penchera sur le cas de Laval ne sera guère plus glorieuse. Au début des années 2000, les enquêtes sur le crime organisé, dans le contexte de la guerre des motards qui sévit depuis 1994 (impliquant notamment les Hells Angels et les Rock Machine), monopolisent la plus importante part des ressources techniques de la Sûreté. L'écoute électronique et la filature visent les bandits avec une veste de cuir, et pas ceux qui portent une cravate. La lutte à la collusion et au crime économique est loin de compter parmi les priorités. Mais parfois, lorsqu'une dénonciation concernant la collusion est envoyée à la police, elle trouve une oreille attentive.

En juillet 2002, via la ligne Info-Crime, la SQ reçoit une cassette VHS anonyme qui décrit un système de collusion dans l'octroi des contrats à Laval. Le mystérieux document intrigue au plus haut point les patrons du corps de police ; il contient des photos de plusieurs acteurs du système de collusion, ainsi qu'un certain nombre de passages audio incriminants qui touchent des contrats octroyés en 1999 et 2000.

Par exemple, des entreprises qui participent au trucage des contrats à Laval communiquent entre elles de manière masquée pour déjouer une possible écoute électronique. Au téléphone, ils font semblant d'organiser un tournoi de golf. Le nombre des participants au tournoi correspond au nombre d'entreprises soumissionnaires. L'heure de départ des quatuors semble faire référence au montant des soumissions de complaisance qui seront fournies par les participants à la collusion, et ainsi de suite.

Mais aussi précises soient-elles, toutes ces informations ne pourraient jamais être utilisées pour accuser quiconque, puisque les policiers ignorent qui les a colligées. Il n'y a pas eu de demande officielle, autorisée par un juge de paix, pour intercepter des communications ou surveiller des suspects. La SQ devra alors corroborer elle-même les informations qu'elle apprend sur la cassette vidéo. Une poignée d'enquêteurs est alors affectée au dossier. Ils avancent à tâtons.

Le projet d'enquête prend officiellement le nom de Bitume en mars de l'année suivante, lorsque François Beaudry, un ingénieur au ministère des Transports, se présente à la SQ avec des informations extrêmement précises concernant la collusion à Laval. Il explique aux policiers être en contact avec une source très bien au fait du trucage des contrats. Cette source lui a remis une liste où elle a prédit d'avance les gagnants de dix contrats de construction à venir. Les enquêteurs comprennent qu'ils ont affaire à du sérieux lorsque, dans les semaines suivantes, huit des dix prédictions de la source s'avèrent exactes.

Avec la collaboration de François Beaudry, les policiers obtiennent tant bien que mal une rencontre avec le mystérieux informateur. Mais ce dernier craint les représailles et cesse rapidement de collaborer. « [La source] connaissait le pouvoir du cartel qui était là, et elle craignait toute forme d'enquête », expliquera en octobre 2014 Michel Forget, alors directeur des communications de la SQ, devant la commission Charbonneau. C'est Forget qui, à titre de lieutenant en 2003, était responsable du dossier Bitume.

L'enquête Bitume frappe donc un premier mur. À ce stade, l'information dont dispose la police provinciale laisse penser qu'on a affaire ici à une entente entre entreprises privées. Aucune preuve sérieuse ne montre alors que Gilles Vaillancourt, son directeur général Claude Asselin ou son directeur de l'ingénierie Claude Deguise sont au courant du stratagème. Encore moins d'indices qui pourraient confirmer que le Monarque lui-même a mis en place le réseau criminel, et engrange les millions de dollars dans une caisse occulte pour financer son parti politique. En conséquence, le dossier est donc transféré en septembre au Bureau de la concurrence, l'organisme fédéral chargé d'enquêter sur les dossiers de collusion à l'insu des élus dans les marchés publics. Le Bureau de la concurrence a déjà reçu depuis quelques années certaines informations dans le dossier de Laval et se met donc au travail pour analyser le contenu de la cassette VHS.

Mais la collaboration entre enquêteurs fédéraux et provinciaux tourne rapidement au vinaigre. Une série d'événements nous permet de nous demander si, de part et d'autre, le dossier a vraiment reçu toute l'attention qu'il méritait. Le 1er décembre 2003, Michel Forget reçoit un appel de Me Roch Dupont, procureur au Bureau de la concurrence. Il insiste alors sur le caractère délicat du dossier, étant donné que Paul Martin, alors premier ministre du Canada, aurait laissé entendre qu'il voulait offrir un poste à Gilles Vaillancourt. Me Dupont indique qu'en conséquence, le dossier sera soumis au sous-ministre de la Justice fédéral afin d'avoir son opinion.

Puis, en février 2004, le Bureau de la concurrence informe la SQ que la loi fédérale concernant la collusion ne pourra s'appliquer dans ce cas-ci, puisqu'une partie de l'administration lavalloise semble au courant du partage des contrats. La Loi fédérale sur la concurrence, elle, ne viserait que les ententes de collusion entre entreprises privées. En clair, il ne peut y avoir d'accusation si le donneur d'ouvrage, cette-fois-ci la Ville de Laval, est au courant qu'il y a de la collusion ! Étrangement, la possibilité que Gilles Vaillancourt se présente pour les libéraux fédéraux n'est plus mentionnée par les enquêteurs du Bureau de la concurrence comme un obstacle possible au dépôt d'accusations. Autre cul-de-sac.

À partir de ce moment, l'enquête est fermée au niveau fédéral. Devant la commission Charbonneau qui tentera de faire une autopsie de cet échec, en octobre 2014, les responsables du Bureau de la concurrence défendront le sérieux de leur travail. Un de ses dirigeants, Me Pierre-Yves Guay, affirmera que le Bureau a rencontré plusieurs témoins dans le cadre de son enquête. À mots à peine couverts, il accusera aussi la police provinciale de ne pas avoir pleinement collaboré avec le Bureau de la concurrence. « Ce que j'ai compris, c'est qu'ils [la SQ] avaient une source humaine à l'époque, un informateur, donc qu'ils aient décidé de [sic] pas la partager, c'est libre à eux, c'est correct, mais, en même temps, bien, nous potentiellement, ça nous a bloqués », expliquera-t-il.

Réel manque de volonté, ou simple problème de communication entre les enquêteurs fédéraux et provinciaux ? Qu'importe, cette autre tentative pour mettre fin aux crimes de Gilles Vaillancourt et de sa bande se solde par un cuisant échec. À partir de mars 2004, Michel Forget et une bonne partie de son équipe de la SQ commencent à enquêter sur un tout autre sujet, soit le volet provincial du scandale des commandites. Ce scandale, qui porte bien son nom, démontrera que le gouvernement libéral fédéral a versé des centaines de millions de dollars de fonds publics à des firmes de publicité québécoises afin qu'elles fassent la promotion du fédéralisme entre 1996 et 2003. Des proches d'organisateurs libéraux et propriétaires de firmes de publicité se sont mis indûment des millions de dollars dans les poches, et l'affaire se soldera par de multiples accusations de fraude.

À ce moment, le dossier de Gilles Vaillancourt est sur la glace pour plusieurs années. Dans le cadre de la rédaction de cet ouvrage, nous avons eu accès à une chronologie détaillée de l'avancement du travail policier dans l'enquête Bitume. L'index des éléments versés au dossier montre effectivement que dans les premiers mois de 2003, l'enquête avance rondement. Des acteurs qui seront arrêtés dix ans plus tard sont déjà dans la mire de la police : les entrepreneurs Tony Accurso, Joe Molluso, Valmont Nadon, Marc Lefrançois, René Mergl, pour ne nommer que ceux-là, sont déjà fichés par les enquêteurs. Leur réseau d'entreprises est décortiqué.

Mais après un an de travail, plus rien ne se passe. À partir de 2004, des éléments d'information en lien avec des contrats de construction à Montréal et au gouvernement du Québec sont ajoutés au dossier Bitume, qui ne concerne désormais plus exclusivement Laval. On se préoccupe par exemple des dépassements de coût lors de la reconstruction du rond-point L'Acadie, à Montréal. Les coûts de ce projet du ministère des Transports, confié à l'empire de Tony Accurso, seraient passés de 58 à 116 millions $ au début des années 2000.

Le dossier Bitume s'enrichit même d'informations concernant le parrain de la mafia montréalaise Vito Rizzuto, en lien avec les contrats octroyés à la Ville de Montréal. Bitume devient alors la filière de la Sûreté du Québec concernant l'implication alléguée du crime organisé italien dans l'industrie de la construction. Seule une nouvelle entrée d'informations, en 2006, permet de croire que la piste de Gilles Vaillancourt n'est pas totalement abandonnée. En novembre 2006, un enquêteur verse au dossier Bitume l' « Organigramme d'attribution des contrats à la Ville de Laval ». Les notes explicatives qu'il joint avec son document sont particulièrement éloquentes : « Le maire de la ville de Laval est Gilles Vaillancourt. Son argentier est Marc Gendron. Son directeur est Claude Asselin, alias "Grand C". Claude Asselin est associé à Claude Deguise, alias "Petit C". Claude Deguise est directeur d'ingénierie », peut-on lire.

À n'en pas douter, la SQ a à ce moment en main de nombreuses pistes qui lui permettraient de se pencher sérieusement sur le cas de Gilles Vaillancourt. D'autant plus que l'organisation criminelle du maire de Laval atteint à ce moment-là son apogée en termes d'argent comptant récolté. Mais la vraie enquête sur son administration ne commencera que quatre ans plus tard.

Exception faite du réseau criminel dirigé par Gilles Vaillancourt, toutes les histoires d'enveloppes et d'argent comptant à l'hôtel de ville de Laval ne seront jamais prouvées devant un juge. Elles remontent à trop longtemps, les preuves se sont effacées et plusieurs témoins et acteurs sont tout simplement décédés. Par contre, l'analyse des contrats octroyés sur une période de cinq décennies laisse à penser que de sa création en 1965 jusqu'en 2013, Laval n'a jamais connu de période où la collusion était absente des contrats de travaux publics.

13

ILS SAVAIENT
ET ILS N'ONT RIEN FAIT

Les agissements criminels de Gilles Vaillancourt et de sa bande
ne passent pas totalement inaperçus, ni à Laval ni au gouvernement à Québec. Peu de temps après l'arrivée de Vaillancourt
à la mairie, des soupçons émergent déjà et l'honnêteté du maire
de Laval est source de bien des discussions dans les milieux
politiques et d'affaires. Mais à partir du milieu des années 1990, il
devient carrément impossible d'ignorer que des choses louches
se déroulent sur l'île Jésus.

Tour à tour, des médias comme *Le Devoir* et *La Presse*
déterrent scandale après scandale : allégations de dézonage de
terrains au profit d' « amis » du pouvoir, contrats municipaux
accordés à des proches du PRO des Lavallois, apparence de
conflits d'intérêts impliquant le maire ou des membres de sa
famille... Les contours d'un système illégal à la Ville de Laval se
dessinent. Malgré les révélations qui s'accumulent, le Monarque

n'est en rien inquiété. Personne n'ose lui mettre des bâtons dans les roues et les seules tentatives policières ou politiques qui se dressent sur son chemin se soldent par un échec lamentable. Il semble bien que le « maire à vie » soit intouchable ; la complaisance qui règne à son endroit l'aide à se sortir de toutes les situations. Même lorsqu'on met le doigt sur ce qui cloche à Laval et que des liens sont faits avec lui, Vaillancourt finit toujours par réussir à esquiver les ennuis.

LE SILENCE DES ÉLUS DE LAVAL

Beaucoup de personnes ferment les yeux lorsqu'il est question des manigances de Gilles Vaillancourt et, au premier rang, trônent les conseillers de son parti, le PRO des Lavallois. Bien sûr, certains ont été manipulés par le maire. Mais si on se fie aussi à leur silence, il semble également que plusieurs conseillers n'aient rien su ou voulu voir des activités criminelles de leur chef. Car en 23 ans de règne de Gilles Vaillancourt à la mairie, aucun d'entre eux ne s'est questionné publiquement sur la probité de Vaillancourt ou encore n'est allé déposer une plainte officielle auprès des services policiers (à ce que l'on sache).

Seuls quelques moutons noirs, généralement des conseillers de l'opposition, ont osé s'attaquer au tout-puissant maire. Par exemple, le conseiller indépendant Maurice Clermont ne s'est pas gêné pour critiquer Vaillancourt plus souvent qu'à son tour. Mais personne de l'équipe du maire et aucun élu du PRO, pourtant censé représenter et défendre les intérêts de la population lavalloise, n'a fait quoi que ce soit.

Se pourrait-il donc que les conseillers n'aient eu aucun soupçon sur ce qui se passait, derrière les portes closes, dans le bureau de leur chef? Impossible, répondent les trois conseillers du PRO des Lavallois à qui nous avons posé la question. « On a toujours eu des soupçons », affirme Jean-Jacques Lapierre qui a quitté le parti en 2009, après 20 ans de service en politique. « Au milieu des années 1990, il y avait des *contracteurs* qui nous en parlaient [de la corruption]. Ils n'entraient pas dans les détails [...] Mais on les voyait aux cocktails-bénéfices [du parti] et on ne manquait pas d'argent », dit-il. Selon M. Lapierre, la corruption est si évidente à l'époque que des conseillers en parlent même ouvertement à des policiers lavallois. Mais les confidences sont toujours faites de façon informelle, lors d'événements publics comme des collectes de fonds. « Nous n'avons jamais rencontré les policiers de façon officielle. C'est lors de cocktails qu'on leur parlait [...] C'était évident, c'était tellement évident qu'il y avait de l'argent qui se donnait au parti [...] C'était tellement visible. Les *contracteurs*, ils étaient trop présents. Ils achetaient des billets pour tout, pour tous les cocktails de financement. Le parti était riche, pis on le savait. On demandait aux policiers ce qui se passait avec notre maire. Mais eux autres nous répondaient qu'il n'y avait rien. Ils n'avaient pas de preuves », relate M. Lapierre.

Le manque d'initiative de la police lavalloise à l'endroit de l'administration Vaillancourt sera relevé à plusieurs reprises au fil des ans. En décembre 2016, le maire de Laval, Marc Demers, un ancien policier, accusera même le corps de police d'avoir fermé les yeux sur les agissements de Vaillancourt dans les années 1980, allant même jusqu'à dire que certains de ses ex-collègues avaient obtenu des promotions en guise de remerciement de leur complaisance. L'ancien chef de police de Laval, Jean-Pierre Gariépy, niera ces allégations. En 2013, au lendemain de l'arrestation de Vaillancourt, M. Gariépy avait tout de même admis avoir été « dupé » par l'administration Vaillancourt, laissant savoir qu'il avait pu être au courant de certaines choses concernant l'ancien maire de Laval, mais qu'il en ignorait plusieurs autres. Chose certaine, selon Jean-Jacques Lapierre, aucun conseiller n'a jamais pu amasser une preuve suffisante pour dénoncer le maire Vaillancourt aux autorités.

Yves Gratton, conseiller du PRO des Lavallois qui a claqué la porte du parti en 1995, admet aussi avoir eu des doutes sur l'honnêteté de son chef et de son parti. Mais il n'a jamais cherché à creuser plus loin. « De toute façon, ça ne m'intéressait pas. Je ne suis pas un enquêteur. Je suis un courtier d'assurance. Je faisais mon bout de chemin comme conseiller municipal », dit-il. Néanmoins, la publication du rapport Martin le secoue et le pousse à partir. Il affirme avoir pris sa décision finale après un entretien avec l'homme d'affaires Michael Mergl, qui est à la tête de l'entreprise Mergad.

En septembre 2017, ce dernier a reconnu sa participation dans le système de collusion à Laval. Il a plaidé coupable à des accusations de corruption dans les affaires municipales et de fraude en échange d'une peine réduite de 21 mois de prison. Selon M. Gratton, c'est M. Mergl qui lui aurait mis véritablement la puce à l'oreille à l'époque en lui rapportant ne pas avoir pu effectuer un contrat à la Ville, car ce n'était pas « son tour ». « [Il était] sous le contrôle du maire évidemment. C'est clair que le maire était au volant. C'est là que j'ai eu le déclic. C'est là que l'étincelle s'est faite comme quoi je ne voulais plus rester dans le parti », raconte M. Gratton. S'il quitte le PRO, Yves Gratton ne fait pas part de ses soupçons aux autorités compétentes, par « manque de preuves [...] J'avais des ouï-dire. C'est tout. C'est ce qui fait que j'ai démissionné. Mais je ne suis pas enquêteur. Ce n'était pas à moi d'enquêter », insiste-t-il. Il affirme avoir agi comme bon nombre de ses collègues conseillers qui étaient aussi au courant, selon lui. « Les conseillers pouvaient se douter comme moi je pouvais me douter. Si moi j'étais assez intelligent pour me douter de certaines choses, les autres aussi l'étaient », soutient-il.

Le scénario est identique du côté de Claire Le Bel. Comme ses collègues conseillers, l'ex-candidate à la mairie avoue n'avoir ni dénoncé ce qu'elle soupçonnait ni tenté quoi que ce soit pour y mettre fin, par manque de preuves. « Je le savais », dit à propos de la corruption celle qui été membre du PRO de 2009 à 2012. « Mais je ne savais pas quand, quoi, comment et où ça pouvait se passer. Ça me semblait tellement bien organisé », affirme Mme Le Bel.

Selon elle, Vaillancourt fait preuve d'un contrôle extrême sur tout ce qui se passe à l'intérieur et en dehors de son bureau de l'hôtel de ville. Sauf pour les choses courantes de la mairie, il se montre peu loquace avec ses conseillers.

Une façon de fonctionner qui, par ailleurs, ne dérange nullement ces derniers qui pouvaient ainsi se concentrer uniquement sur les activités dans leurs quartiers respectifs. « C'est comme ça qu'il gérait ; c'est lui qui menait les affaires. Je ne pense pas que ça déplaisait à grand-monde, honnêtement [en ce qui concerne les conseillers]. On n'avait rien à dire. »

Manifestement, plusieurs conseillers ont des soupçons ou savent carrément ce qui se passe au sein même de l'administration, mais ils n'osent pas prendre de front le maire à ce sujet. Ce n'est que plus tard, à la commission Charbonneau, que, soudainement, plusieurs retrouvent la mémoire et vident leur sac. Du moins en ce qui a trait au financement illégal.

En juin 2013, c'est le vice-président du comité exécutif en personne, Basile Angelopoulos, qui part le bal en admettant avoir servi de prête-nom pour le parti. Il confirme ainsi les dires de l'ex-agent officiel du PRO, Jean Bertrand, qui avait affirmé précédemment que quasiment tous les conseillers du parti du maire Vaillancourt s'étaient fait rembourser leurs contributions politiques, à quelques exceptions près.

M. Angelopoulos affirme toutefois qu'il ignorait tout du stratagème de collusion et de corruption mené par Gilles Vaillancourt. « Dans mon cas à moi, je suis également horrifié, parce que tout ça se passait à côté de moi sans que j'en aie eu connaissance ni soupçon », dit-il, soulignant qu'un tel système était forcément resté dans l'ombre, sinon il aurait été dénoncé par les conseillers.

Les conseillers Richard Goyer, Benoit Fradet et Jocelyne Guertin avoueront aussi par la suite avoir servi de prête-nom, tout en affirmant avoir tout ignoré du reste du stratagème criminel. M. Goyer dira même ne pas avoir su pourquoi il recevait des bouteilles de vin de la part d'entreprises en construction durant le temps des Fêtes.

Aucun conseiller du PRO ne fera l'objet d'accusations au criminel. Au total, sept d'entre eux – Pierre Cléroux, Ginette Grisé, Sylvie Clermont, Denis Robillard, Lucie Hill, Madeleine Sollazzo et l'ex-maire Alexandre Duplessis – avoueront en 2015 avoir versé chacun 1000 $ de manière illégale à leur parti. Ils sont condamnés à payer une amende au Directeur général des élections du Québec. Les choses n'iront pas plus loin pour les anciens membres du parti de Vaillancourt qui, pour la plupart, se murent dans le silence.

En décembre 2016, joint par le Bureau d'enquête du *Journal de Montréal*, le seul ancien conseiller du PRO toujours actif, Jacques St-Jean, jure qu'il ne savait rien, lui aussi. « Quand les dépenses et les décisions nous étaient amenées en conseil, c'était déjà fait. Ça passait comme du beurre dans la poêle. Par après, bien sûr, on peut se dire : "On aurait dû vérifier les comptes" », se justifie le conseiller indépendant du district Saint-François.

Difficile, donc, d'établir avec précision si les élus du PRO des Lavallois étaient au courant ou non de l'ampleur de l'organisation criminelle dirigée par Vaillancourt. Ont-ils tous fermé les yeux? Ou ont-ils cru, en acceptant de servir de prête-noms, que les manigances de leur chef se limitaient à de la fraude électorale? Avec le recul, on ne peut déterminer avec certitude s'ils ont fait preuve d'une complicité criminelle, mais on peut certainement reprocher une forme de complaisance aux nombreux conseillers qui ont porté la bannière du PRO des Lavallois au fil des ans. Et ils ne sont pas les seuls.

LA DOUCE INDIFFÉRENCE DES POLITICIENS

À peu près tous les députés provinciaux et fédéraux qui passeront à Laval sous le règne de Vaillancourt resteront tout aussi muets sur ce qui se passe à la mairie. Plusieurs s'avouent pourtant mal à l'aise face à l'administration en place. Certains d'entre eux révèlent même s'être fait offrir des enveloppes d'argent par le maire Vaillancourt. Tous ne peuvent donc ignorer totalement les agissements du «boss» de Laval. Pourtant, rien n'est fait pour dénoncer ou corriger la situation.

Pour l'ancien député lavallois et ex-ministre de la Sécurité publique, Serge Ménard, qui avouera s'être fait offrir de l'argent par le maire, il est clair que les différents gouvernements provinciaux qui se sont succédé pendant les années Vaillancourt se doutaient que quelque chose ne tournait pas rond à Laval. «Oui [on savait], mais on ne savait pas comment ça se faisait [...] On ne pouvait [rien] prouver, parce qu'il était très habile. Ce n'était pas compliqué: si tu obtenais un contrat à Laval et que tu n'étais pas dans le bon club, tu mangeais ta chemise [...] Évidemment, les échanges entre les gens qui allaient soumissionner et le maire, c'était secret. Donc, le système, on le comprenait, mais on n'avait aucune preuve. Aucun témoignage », explique M. Ménard.

Au milieu des années 1990, les députés péquistes lavallois se réunissent chaque lundi matin pour faire le point sur les affaires en cours. On discute souvent du maire de Laval, mais sans intervenir, selon M. Ménard. « Ce qu'on savait, on le savait par les journaux ou par le potinage. On n'avait pas de preuves [...] Personnellement, j'avais encore la réaction d'un avocat : ce que tu ne peux pas prouver, tu n'en tires pas de conséquences. Et puis, il est toujours réélu. »

D'autres députés nous ont avoué avoir reçu des confidences d'entrepreneurs forcés de payer de fortes sommes au maire ou à son entourage pour pouvoir obtenir des contrats à Laval. Sachant cela, pourquoi n'intervient-on pas du côté du gouvernement ? Là où certains pointent le manque de preuves, d'autres désignent la (trop) grande influence du maire Vaillancourt comme explication à l'inaction des élus. « J'ai senti une certaine crainte du poids politique de Vaillancourt. Mais c'était à mots couverts. Personne n'aime dire qu'il se sent intimidé », dit à propos de ses collègues Guy Chevrette, ancien ministre péquiste des Affaires municipales.

Journaliste pendant plus de 20 ans au *Courrier Laval*, Jean-Claude Grenier, lui, est formel : tous les paliers de gouvernement savaient que l'administration Vaillancourt n'était pas totalement honnête. « Tous les députés me parlaient des magouilles de Vaillancourt, mais ils se prosternaient tous devant lui », dit-il.

M. Grenier reçoit même des confidences à ce sujet, dont celles du député de Chomedey, Thomas Mulcair. Avant de faire le saut en politique fédérale au NPD, ce dernier a porté les couleurs du Parti libéral du Québec dans cette circonscription de Laval, de 1994 à 2007. « En prenant un café un soir au club de golf Le

Mirage à Laval, Thomas m'avait dit que Vaillancourt lui avait offert beaucoup d'argent pour sa campagne. Il m'a dit ça sous le sceau du secret. Il avait refusé, mais il ne voulait pas que ça sorte nulle part », raconte M. Grenier.

Selon Guy Chevrette, l'habileté et le contrôle dont fait preuve Vaillancourt font en sorte que le gouvernement tarde à intervenir par manque de preuves concrètes. « Est-ce que c'est facile de rendre aveugles et sourds des élus nationaux ? Oui. Il y a des choses que même les élus municipaux ne voient pas [...] Si la personne va lentement mais sûrement, elle peut voler une bonne somme d'argent sans que personne ne s'en rende compte », dit-il.

« Je me souviens d'avoir entendu dire [dans un caucus] que Vaillancourt dit oui à tout le monde et qu'il "aide" tout le monde : un bleu, un rouge, etc. Il peut "aider" trois partis en même temps dans un même comté. La preuve, c'est qu'il est libéral et qu'il a donné 10 000 $ à un péquiste [...] Il était vu comme un maire qui contrôlait sa municipalité [...] qui savait comment s'y prendre pour aller chercher le maximum », poursuit M. Chevrette.

Si le maire de Laval réussit pendant de nombreuses années à contourner ou à faire taire aisément ses conseillers et certains députés, il ne pourra pas continuer à œuvrer en toute impunité sans que le gouvernement perde publiquement la face. Face à l'accumulation des scandales et acculé au pied du mur, ce dernier va bientôt réagir. Mais est-ce que cela sera suffisant pour nuire ou à tout le moins ralentir les activités criminelles de Vaillancourt ?

L'ÉCHEC GOUVERNEMENTAL : LE RAPPORT MARTIN

En 1995, le gouvernement Parizeau est sollicité de toutes parts. L'inaction n'est plus une option. Tant des citoyens que des opposants de Vaillancourt réclament que la lumière soit faite sur les nombreuses allégations touchant la gestion des fonds publics à Laval. Malgré le respect qu'impose Vaillancourt, la classe politique ne peut plus détourner le regard de ce qui se passe dans la cour du Monarque.

À l'hiver et au printemps 1995, plusieurs reportages, sortis coup sur coup par le quotidien *La Presse*, mettent l'administration Vaillancourt dans l'embarras, à un point tel que le maire accuse le journal de se faire le porte-parole de l'opposition. La population est choquée lorsqu'elle découvre que la Ville emploie depuis quatre ans une firme de sécurité appartenant à un organisateur du PRO des Lavallois, Claude Dumont, pour débusquer la présence de micros à l'hôtel de ville. Le maire Vaillancourt semble craindre qu'on l'espionne. Le recours à un balayage électronique aussi systématique est assez rare à l'époque selon *La Presse*, qui affirme, après avoir fait des recherches, qu' « aucune grande entreprise privée au Québec et à plus forte raison aucune municipalité n'utilise les services d'agences spécialisées dans la détection de système d'écoute d'une façon aussi régulière qu'à Laval ».

En 2011, *La Presse* révélera qu'une détection des micros a aussi été réalisée régulièrement à la mairie de Montréal jusqu'en 2008. Mais dans ce cas-ci, c'était le Service de police de la Ville de Montréal qui s'en chargeait et non une entreprise privée. Aussi, la compagnie de M. Dumont ne répondrait pas à certaines exigences de son contrat avec la Ville de Laval. Rapidement, la Ville résilie ce contrat et confie ce travail à la police.

D'autres articles du quotidien soulèvent aussi des questions sur l'utilisation de l'argent des contribuables, notamment dans le cas d'un reportage sur les ajustements de contrat qui « dépassent 10 % des soumissions d'origine dans un cas sur quatre » à Laval.

Gilles Vaillancourt a beau se défendre sur toutes les tribunes contre « l'acharnement » des médias et même se dire victime d'un « coup monté », il n'arrive pas à éteindre le scandale.

Ce n'est pas la première fois que le maire se retrouve plongé dans une controverse, loin de là, mais les choses finissent habituellement par se calmer et tomber dans un relatif oubli. Pas cette fois. Le 11 avril 1995, un résident du quartier Chomedey et sympathisant du parti Option Laval, André Payette, remet en mains propres au premier ministre Jacques Parizeau une pétition signée par plus de 500 Lavallois réclamant une enquête sur la gestion des fonds publics de la Ville, lors d'un événement au Centre des congrès de Laval. Gilles Vaillancourt est présent aux côtés de M. Parizeau lorsque ce dernier se voit remettre la pétition. Marchant sur des œufs, le premier ministre se contente de dire que celle-ci sera remise au ministre des Affaires municipales, Guy Chevrette.

Quelques heures plus tard, ce sont les quatre députés péquistes de Laval – David Cliche, Serge Ménard, Joseph Facal et Lyse Leduc – qui adressent une lettre au ministre Chevrette, le pressant de « faire la lumière une fois pour toutes » sur les « informations troublantes » touchant les pratiques en cours à l'hôtel de ville. « Les faits rapportés, bien que non prouvés, jettent néanmoins le discrédit non seulement sur la ville, mais aussi sur l'ensemble de la communauté lavalloise [...] Nous nous interrogeons sur l'impact de ces nouvelles négatives sur la crédibilité de la municipalité et sur l'image que la région de Laval véhicule à la grandeur du Québec », peut-on lire dans la lettre ouverte des quatre parlementaires. Le parti du maire, le PRO des Lavallois, organise sur-le-champ sa réplique. Il récoltera plus de 12 000 signatures de Lavallois en appui au maire Vaillancourt. Mais cette initiative arrive trop tard.

Le gouvernement Parizeau ne peut ignorer une demande émanant de députés issus de son propre parti. Le 13 avril 1995, le ministre des Affaires municipales, Guy Chevrette, annonce la nomination d'un vérificateur chargé de faire la lumière sur l'ensemble des allégations soulevées par les médias. La tâche est confiée à Jacques Martin, un comptable qui est aussi l'ancien maire de la ville de Joliette. Ce dernier doit déterminer par tous les moyens possibles s'il est nécessaire ou non pour le gouvernement d'intervenir à Laval. Il doit aussi analyser les façons de faire de la Société de transport de Laval.

Seul hic à l'horizon : M. Martin est mandaté pour effectuer une « vérification spéciale » et non une enquête. Il dispose donc de moyens limités. « La grande différence, c'est qu'avec une enquête, on peut interviewer des personnes sous serment. Tandis qu'avec une vérification, on ne fait que rencontrer des personnes, consulter des documents et en tirer des conclusions », explique M. Martin.

En conférence de presse, le ministre Chevrette justifie sa décision en indiquant qu'on n'en est qu'au stade des rumeurs concernant la situation à Laval. « Je ne peux pas faire d'enquête sur du ouï-dire. Mais on peut vérifier si le ouï-dire a du fondement [...] Il semblait y avoir unanimité de la part du milieu pour que je fasse une intervention. À ce stade-ci, on ne pouvait pas procéder à une enquête », explique-t-il.

Encore de nos jours, Guy Chevrette se vante tout de même d'avoir été le « seul ministre » à avoir fait enquête sur Laval : « Il n'y a pas eu un avant ni un après », nous-a-t-il dit à quelques reprises lors d'un entretien à l'été 2017. Ce sont les nombreux articles de journaux qui l'auraient convaincu de mettre en place une telle vérification à l'époque, mais également les propos tenus par certains de ses fonctionnaires. « Ils me disaient de regarder

Laval, [que c'était] sérieux. On me parlait d'un manque de rigueur dans les procédures. »

UNE VÉRIFICATION LIMITÉE

Une tâche colossale attend le vérificateur Martin qui est somme toute limité dans ses moyens d'action. Le maire Vaillancourt le sait. En réaction à la nomination de Jacques Martin, il promet de collaborer et se réjouit de cette vérification « qui fera toute la lumière sur les allégations qui ont injustement attaqué l'intégrité de l'administration lavalloise au cours des derniers mois ».

Malgré la relative menace qui pèse sur sa ville, le Monarque vient d'être élu sans problème président de l'Union des municipalités du Québec pour un mandat de deux ans. C'est donc loin d'être la panique à l'hôtel de ville, même si Vaillancourt redoute quelque peu les conclusions de la vérification de Jacques Martin. Du côté du gouvernement Parizeau, on pense avoir trouvé la solution idéale. La tenue d'une vérification permet de faire taire la grogne tout en ne liant pas trop les mains de l'État pour l'avenir.

Pendant les quelques mois durant lesquels se déroule la vérification administrative, Jacques Martin a droit à une « bonne collaboration » de l'administration Vaillancourt, selon ce qu'il nous a confié.

Difficile de savoir à quoi pense le maire pendant que sa Ville est scrutée par le vérificateur. Il n'en parle jamais au ministre Chevrette quand il le croise fortuitement, dans des événements. Très vite, M. Martin se heurte toutefois aux limites de son mandat. Par exemple, il rencontre des entrepreneurs qui lui indiquent éprouver des difficultés à soumissionner à Laval. Ils affirment qu'on leur fait savoir « indirectement » qu'ils ne sont pas les bienvenus à la Ville en leur demandant, par exemple, de déplacer à plusieurs reprises un tuyau pourtant installé au bon endroit au départ. « Il y a même un des entrepreneurs qui s'est fait dire : "T'as pas compris là ? " » illustre M. Martin. Mais si ces confidences sont révélatrices, Jacques Martin ne peut en parler directement dans son rapport ou pousser plus loin la vérification de telles allégations. « Je n'avais rien. Les personnes ne voulaient pas que leurs noms apparaissent [dans le rapport]. Moi, je ne pouvais pas me fier [*sic*] sur des qu'en-dira-t-on ou des choses semblables. Je ne pouvais pas non plus les obliger à témoigner. C'est pour ça que [dans mon rapport], j'attirais l'attention du gouvernement sur certains points. Pour leur dire : "écoutez, allez un peu plus loin" »

Même s'il constate une « apparence de collusion », Jacques Martin ne réussit pas à aller au fond des choses. « Je ne pouvais pas aller voir le soumissionnaire et lui demander pourquoi il avait fait les choses de telle manière. Je n'avais pas de pouvoirs [...] C'était un mandat très restreint [...] J'avais un budget bien restreint, en plus », explique-t-il.

En novembre 1995, Jacques Martin dépose son rapport. Le ministre des Affaires municipales décide de le rendre public et en avise Laval. Gilles Vaillancourt est nerveux. « Mon attachée de presse à l'époque avait rédigé un communiqué de presse. Elle reçoit alors un téléphone de Vaillancourt [qui voulait savoir] ce qu'on allait communiquer. Elle lui a dit qu'on faisait état du dossier et de certaines recommandations. Il avait demandé à voir [le communiqué]. Je sais qu'elle ne lui avait pas donné », se rappelle Guy Chevrette.

Le 15 décembre 1995, le rapport Martin est rendu public et éclate comme une bombe à l'hôtel de ville de Laval. On y apprend qu'une partie des allégations soulevées par les médias dans les derniers mois étaient fondées. Par exemple, le vérificateur

Martin dit avoir relevé trois cas où les autorités de la Ville de Laval se sont placées en situation d'« apparence de favoritisme, car tous les efforts n'ont pas été faits pour rechercher la solution la plus économique ».

À titre d'exemple, Jacques Martin cite le contrat d'inspection des entrées de service accordé depuis 1990 aux Consultants Enval inc. La compagnie est la propriété de Jean-Claude Lafond, ex-directeur du service de génie de la Ville de 1974 à 1988. La compagnie de M. Lafond est responsable d'inspecter une partie des travaux de raccordement de conduites d'égout et d'aqueduc à Laval. L'autre partie des inspections est réalisée par le service de génie de la Ville. « Nous ne voulons pas discréditer le travail de Enval, mais le fait d'avoir procédé sans appel d'offres fait en sorte que l'on ne s'est pas assuré d'avoir le meilleur prix », écrit le vérificateur à ce sujet. Il souligne aussi que lors d'une crise dans le secteur de la construction en 1992, le nombre d'inspections réalisées par les employés de la Ville a baissé tandis que celles réalisées à l'externe par Enval n'ont jamais diminué.

Jacques Martin questionne aussi les baux contractés par la Ville qui ne font l'objet d'aucune vérification externe, malgré qu'ils représentent un poste budgétaire important pour la mairie (6 millions $ en 1995). Environ 80 % de la superficie utilisée par les services administratifs lavallois est louée à l'externe. Des baux sont donnés sans appel d'offres, alors que « la Ville de Laval aurait pu obtenir mieux » en termes de prix dans certains cas. À titre comparatif, pour le même type d'immeuble, Laval paie plus cher que la Société québécoise des infrastructures, qui gère l'ensemble du parc locatif du gouvernement provincial. Le cas d'un garage municipal loué sur le boulevard Chomedey retient particulièrement l'attention. La Ville paie très cher pour l'édifice considéré pourtant comme vétuste et dont le toit fuit. Aussi, en raison d'une erreur de communication de l'administration à l'endroit du comité exécutif, le bail a bondi de 24 % au lieu des 4,27 % prévus en 1990. « Comment justifier ces différences ? Si non, est-ce que l'on a voulu sciemment camoufler les coûts supplémentaires du nouveau bail ? » se questionne M. Martin.

Enfin, Jacques Martin souligne que le vérificateur interne de la Ville n'a pas toute la latitude nécessaire pour faire son travail, notamment pour questionner les politiques d'octroi des contrats de la Ville. Dans ses dossiers, le vérificateur interne a notamment constaté que des honoraires professionnels facturés ont dépassé les budgets prévus. Or, rien n'est mentionné à cet effet dans son rapport annuel. Le vérificateur explique à Jacques Martin que certaines observations sont exclues de son rapport, « car elles découlaient de décisions du conseil et du comité exécutif ».

Le rapport Martin identifie aussi des dossiers qui nécessitent selon lui une analyse « en profondeur » subséquente du gouvernement, comme les extras qui sont payés par la Ville sur certains chantiers ou encore le contrat de détection des micros.

Jacques Martin saupoudre son rapport d'allusions et de propos inquiétants, mais n'écrit nulle part, noir sur blanc, s'il y a collusion ou non à Laval. Comme le souligne un article de *La Presse* du 23 décembre 1995, « tout au long des 81 pages de son rapport, le comptable ne cesse de soulever des questions auxquelles il ne répond pas ou ne peut répondre, faute de données ».

UN RAPPORT QUI TOMBE DANS L'OUBLI

Malgré l'absence d'un constat clair, le maire Vaillancourt se retrouve propulsé au centre d'une véritable tempête médiatique. Le parti Option Laval réclame son départ sur-le-champ.

Le seul conseiller représentant l'opposition au conseil munici-pal, Maurice Clermont, se réjouit « qu'enfin, un vérificateur a confirmé que les doutes soulevés par l'opposition étaient bien fondés ». Le ministre Chevrette, lui, est plus nuancé dans ses propos. Il répète qu'il ne s'agit que d'une vérification adminis-trative et non d'une enquête. Néanmoins, promet-il en entrevue, les recommandations contenues dans le rapport Martin feront l'objet d'un suivi serré. « Je vous ai déjà dit que je ne ferai pas comme Claude Ryan [son prédécesseur libéral] : m'asseoir sur les rapports. »

Tandis que le maire Vaillancourt fanfaronne sur toutes les tribunes en disant que cette vérification a prouvé que son admi-nistration agit de façon conforme à la loi, le ministre Chevrette demande à son ministère de procéder à des vérifications appro-fondies de certains dossiers. Il n'aura pas le temps de faire grand-chose d'autre. En janvier 1996, à peine un mois après la publication du rapport Martin, Guy Chevrette perd le dossier des Affaires municipales. Il est muté au poste de ministre de la Réforme électorale. Cela signe la mort du rapport Martin. Pratiquement aucun suivi n'est donné aux recommandations du vérificateur.

La voie redevient libre pour le maire Vaillancourt qui, soulagé et généreux, prend plusieurs engagements qui seront peu ou pas respectés. En février 1996, il promet d'engager son admi-nistration sur le « chemin de la transparence » et de confier à la firme Ernst & Young le mandat de s'assurer qu'on fasse le suivi des recommandations du rapport Martin. « À compter d'aujourd'hui, les décisions que nous prendrons devront faire en sorte qu'on n'entende plus jamais d'allusions malveillantes au sujet de Laval et de son administration », déclare le maire en marge d'un colloque sur le transport en commun.

Encore aujourd'hui, Jacques Martin déplore que son rapport ait été « tabletté » aussi cavalièrement. « Disons que, dans ma vérification, je ne suis pas arrivé à des choses très précises, sauf qu'il y avait des lumières qui s'allumaient [...] Ce n'était pas à moi de dire au gouvernement d'aller plus loin. Mais il me semble que c'était assez clair. Quand on lisait entre les lignes, il me semble qu'il y avait de quoi pour aller plus loin. Mais ce n'était pas à moi de leur dire. »

À son avis, le gouvernement a-t-il eu peur d'aller plus loin et de s'en prendre de front à l'administration Vaillancourt ? « Je ne sais pas [...] Mais c'était une grosse ville qu'il ne fallait pas trop brasser », dit-il, avouant qu'il ne sait toujours pas à ce jour pourquoi son rapport a été ignoré.

Questionné à ce sujet, l'ex-ministre Guy Chevrette renvoie la balle à Jacques Martin et plaide qu'il n'a pas été ministre assez longtemps pour pouvoir agir. « S'il [Jacques Martin] avait été plus direct, il m'aurait forcé moi [à agir]. Il avait raison d'écrire ce qu'il a écrit, mais il aurait pu en faire un peu plus [...] S'il avait dit de mettre la Ville sous tutelle, j'aurais mis la Ville sous tutelle. Et Parizeau m'aurait appuyé », jure M. Chevrette.

Quant à son successeur, Rémi Trudel, il se défendra d'avoir enterré le rapport Martin lors d'une entrevue accordée au quotidien *Le Soleil* en 2010. Il avoue alors s'être « beaucoup interrogé » sur les apparences de collusion à Laval, surtout que des rumeurs continuaient de courir à cet effet au ministère des Affaires municipales bien après le rapport Martin. Il affirme avoir suivi la Ville de près pendant 18 mois. « On a demandé régulièrement des redressements et on n'a pas cessé tant qu'on n'a pas été satisfait », affirme-t-il au *Soleil*. Il dit cependant ne pas savoir comment le dossier a ensuite évolué. « Qu'est-ce qui s'est passé depuis ? Je ne le sais pas », admet-il.

On ne saura jamais avec précision à qui ou à quoi revient l'échec du rapport Martin. Est-ce le mandat de départ qui manquait de mordant? L'absence de volonté du gouvernement de réellement savoir comment Vaillancourt gérait son administration? Chose certaine, l'unique tentative gouvernementale pour mettre au pas Gilles Vaillancourt s'est avérée désastreuse. Au final, le maire est à peine dérangé par cette vérification qui n'a absolument aucun impact sur sa popularité. Moins de deux ans après le rapport Martin, le 2 novembre 1997, Gilles Vaillancourt est réélu facilement à la mairie.

Aujourd'hui, Guy Chevrette déplore, à mots couverts, que le pallier provincial n'ait rien fait pour freiner ou mieux contrôler le roi de Laval. « J'aurais probablement dû m'en occuper plus [...] Est-ce que les gouvernements l'ont échappé? » questionne-t-il à voix haute sans répondre. C'est là certainement une question digne d'intérêt. Tout comme les conseillers du PRO des Lavallois, les gouvernements successifs à Québec savaient ce qu'il se passait à Laval, mais ils n'ont rien fait. C'est seulement lorsque la pression publique s'est avérée trop forte que l'on a réagi pour ensuite refermer le dossier le plus rapidement possible, laissant ainsi le champ libre au roi de Laval.

14

LA SAGA JUDICIAIRE

Après des décennies d'échecs policiers et de laisser aller politique, le système criminel mis en place par Gilles Vaillancourt sera finalement démantelé en 2013. Mais il continuera de faire la manchette pendant encore cinq ans, en raison du nombre de personnes accusées et de la complexité inouïe du système judiciaire. La boucle ne sera pas bouclée avant que le plus important entrepreneur à participer aux complots, Tony Accurso, se soit battu jusqu'au bout pour éviter, sans succès, la prison.

ILS S'EN SORTENT À BON COMPTE

Des 37 participants allégués au réseau criminel lavallois, Gilles Vaillancourt est le premier à reconnaître ses torts. Le plaidoyer de culpabilité de l'ex-maire, en décembre 2016, incitera-t-il certains complices à faire comme lui et à régler leurs comptes avec la justice? Pas immédiatement. Car en juillet 2016, une bouée de sauvetage inespérée en provenance de la Colombie-Britannique est lancée en direction de centaines d'accusés partout au Canada.

Barrett Richard Jordan, un Britanno-Colombien qui avait été reconnu coupable en 2013 dans une affaire de trafic de drogue, vient d'être blanchi par la Cour suprême du Canada. Le plus haut tribunal du pays estime que les 49 mois qui ont été nécessaires pour le faire condamner constituent un délai judiciaire déraisonnable. Désormais, les accusés devant les cours supérieures, comme tous ceux qui ont été épinglés dans la rafle Honorer de Laval, devront être jugés en 30 mois ou moins. Sinon, ils risquent d'être blanchis, à moins que les délais soient causés par la Couronne et non par des manœuvres douteuses du côté de la défense, destinées à faire gagner du temps.

C'est la pagaille au DPCP, et un vent de panique souffle au ministère de la Justice. Au cours des mois et des années suivantes, le fameux arrêt Jordan transformera en profondeur l'organisation du système de justice québécois, forçant notamment l'embauche de nouveaux juges et une révision de la manière dont sont préparés les dossiers d'accusation criminels. Plus question désormais de déposer des accusations avant que l'ensemble des éléments de preuve aient été amassés. On accuse et on remet presque immédiatement l'ensemble de la preuve aux accusés et aux avocats de la défense, de façon à pouvoir fixer rapidement une date de procès si un plaidoyer de non-culpabilité est enregistré.

Entre-temps, pas moins de 13 coaccusés de Gilles Vaillancourt tentent de faire avorter les procédures judiciaires contre eux en invoquant l'arrêt Jordan. Ils présentent des requêtes en décembre 2016 peu après que l'ex-maire eut accepté d'aller en prison, mais ils n'obtiendront pas tous ce gros cadeau de Noël.

Ainsi, deux d'entre eux, soit l'avocat de Gilles Vaillancourt, Robert Talbot, ainsi que l'agent officiel du PRO, Jean Bertrand, voient leur requête Jordan accueillie favorablement par le juge James Brunton. Pour eux, c'est la fin d'une mésaventure judiciaire qui durait depuis mai 2013. Dans sa décision rendue le 16 février 2017, le juge estime que les accusations qui pesaient contre eux, moins lourdes que celles à l'encontre des autres accusés, auraient dû être traitées à part, plus rapidement. Bertrand, pourtant, avait manipulé des centaines de milliers de dollars d'argent liquide en provenance des entrepreneurs qui finançaient illégalement le PRO, selon la police. Pour couronner le tout, quelques jours plus tard, le DPCP retire tous les chefs d'accusation contre quatre autres individus après avoir estimé que les procédures contre eux risquaient aussi d'avorter. L'avocat Pierre Lambert, qui a reconnu devant la commission Charbonneau avoir caché 2 millions $ de ristournes illégales dans un entrepôt, se sauve ainsi d'un procès. Idem pour Guy Vaillancourt, le frère de l'ex-maire, ainsi que pour les entrepreneurs Daniel Lavallée et Lyan Lavallée.

Au surplus, trois des coaccusés emporteront leurs secrets dans leur tombe, avant même d'avoir subi le verdict de la justice. Les entrepreneurs Anthony Mergl et Valmont Nadon ainsi que l'ingénieur Robert Cloutier meurent, rattrapés par l'âge et la maladie.

D'AUTRES COUPABLES EN PRISON

La valse des plaidoyers de culpabilité s'amorce au mois de juillet 2017, au cours duquel 16 des complices décident de s'avouer coupables.

Le 4 juillet, l'ex-directeur de l'ingénierie Claude Deguise plaide coupable à des accusations de corruption dans les affaires municipales, de complot et de fraude. Considéré comme une des trois têtes dirigeantes du réseau criminel avec Vaillancourt ainsi que l'ex-directeur général Claude Asselin, il reconnaît avoir été un rouage important dans l'organisation de la collusion en contactant les firmes de construction et de génie qui avaient été désignées d'avance pour remporter les contrats. En échange de son plaidoyer de culpabilité, la Couronne laisse tomber l'accusation de gangstérisme, plus grave, qui pesait contre lui. Par contre, Deguise sait qu'il ne pourra échapper à la prison, en raison de l'importance de son rôle. Le juge James Brunton le condamne la semaine suivante à purger 30 mois de prison dans un pénitencier fédéral. Avant d'être envoyé en cellule escorté par deux constables spéciaux, l'ex-directeur de l'ingénierie raconte à la cour avoir été assommé et avoir vécu une véritable descente aux enfers à la suite de son arrestation. « Aux Lavallois, je veux dire que je suis désolé », déclare-t-il brièvement. Pantalon léger et t-shirt blanc sur le dos au moment d'être menotté, il sait que les prochains mois ne seront pas une partie de plaisir pour lui.

Au même moment que Claude Deguise, les entrepreneurs Jocelyn Dufresne et Marc Lefrançois enregistrent aussi des plaidoyers de culpabilité. Jocelyn Dufresne sera envoyé en prison pour un an, car la Couronne est parvenue à démontrer que son entreprise avait bénéficié d'une dizaine de contrats truqués valant au moins 15 millions $ au total, pendant une décennie. Lefrançois, lui, écope de 21 mois à l'ombre.

Puis, le 11 juillet, 13 autres coaccusés plaident coupables. Il s'agit des entrepreneurs Guy Desjardins, Mike Mergl, Joe Molluso, Luc Lemay, Mario Desrochers, Carl Ladouceur, Patrick Lavallée et Leonardo Moscato, ainsi que les ingénieurs Louis Farley, Guy Jobin, Laval Gagnon, François Perreault et Yves Théberge. Le plus sévèrement puni du lot est Luc Lemay, l'ancien patron de J. Dufresne Asphalte, qui se voit envoyer derrière les barreaux pour une période de 21 mois. Sa sentence est sévère en raison de sa collaboration longue et soutenue au sein du cartel.

Les autres reçoivent des peines beaucoup plus clémentes, soit des périodes de détention à domicile de un ou deux ans.

Le 10 août, l'ingénieur Alain Filiatrault plaide aussi coupable et reçoit une peine de prison de 18 mois avec sursis, ce qui veut dire qu'il peut la purger à domicile.

Le 20 septembre, c'est au tour de l'ex-vice-président de Dessau, Rosaire Sauriol, figure bien connue depuis son témoignage à la commission Charbonneau, de plaider coupable à une accusation d'abus de confiance. À la suite des négociations entre ses avocats et ceux de la Couronne, il accepte de payer une amende 200 000 $, mais il évite tout séjour en prison.

Finalement, le 3 octobre, l'ex-directeur général Claude Asselin s'avoue coupable devant le juge Brunton, ainsi que l'ex-notaire Jean Gauthier. Ce dernier qui était collecteur d'enveloppes auprès des firmes de génie impliquées dans la collusion, affirme n'avoir jamais empoché personnellement un sou grâce aux stratagèmes criminels à Laval. Il accepte tout de même de dédommager la Ville de Laval à la hauteur de 100 000 $. Il écope aussi d'une peine de détention de deux ans, qu'il pourra au moins purger à domicile. Mais c'est Claude Asselin qui, du groupe, a la sentence la plus sévère. Le teint basané et l'air plutôt détendu, il se présente au palais de justice de Laval le 18 octobre avec deux petits sacs contenant ses effets personnels. Le juge Brunton l'envoie en prison pendant deux ans moins un jour, une peine qu'il justifie par l'ampleur de la fraude commise et la planification minutieuse des gestes de l'ex-directeur général. Asselin convient aussi de rembourser une importante somme d'argent à la Ville de Laval, tenue secrète en vertu d'une entente de confidentialité négociée par les avocats de la Ville.

LE COMBAT D'ACCURSO

C'est donc dire qu'à la mi-octobre 2017, 36 des 37 accusés du projet Honorer ont réglé leurs comptes avec la justice. Vingt-six d'entre eux ont plaidé coupables, dont sept ont écopé de peines de prison fermes (l'ex-maire ayant eu la plus longue, d'un peu moins de six ans). Sept accusés ont obtenu un arrêt des procédures en raison des délais judiciaires, et trois sont décédés avant de subir leur procès.

Un seul ne s'avoue pas vaincu, et c'est probablement l'un des entrepreneurs les plus connus au Québec, Tony Accurso. Le magnat de la construction fait face à cinq chefs d'accusation, dont corruption dans les affaires municipales, fraude et complot. Tony Accurso entend vraiment se battre jusqu'au bout. Il faut dire que l'entrepreneur fait régulièrement la manchette depuis presque dix ans, mais il n'a jamais plaidé personnellement coupable à quelque accusation criminelle que ce soit. Ni à Laval ni dans l'autre dossier pour fraude et corruption auquel il fait face, en parallèle, à Mascouche. Ni même pour deux accusations de conduite avec les facultés affaiblies au cours des dernières années.

Seules deux de ses entreprises, soit Simard-Beaudry et Louisbourg, ont plaidé coupables en 2010 à des accusations de fraude fiscale envers l'Agence du revenu du Canada. Et dans ce cas-ci, Accurso n'était pas directement accusé même s'il était le grand dirigeant de ces compagnies. Tony Accurso a les poches profondes, et les centaines de milliers de dollars qu'il paye en frais d'avocats ne le refroidissent pas. Sa réputation aux yeux de la loi vaut plus que tout.

Dans le dossier de Mascouche, son avocat tentera même de convaincre le juge, sans succès, les délais judiciaires déraisonnables commandent le retrait des accusations.

Le procès de Tony Accurso à Laval s'ouvre donc à la mi-octobre 2017. Pour le public, ce sera la seule chance de comprendre un peu mieux quels crimes ont été commis à l'hôtel de ville de Laval. En effet, l'immense preuve recueillie par les enquêteurs n'a jamais été étalée en cour, puisque personne d'autres n'a choisi d'aller en procès. Pourtant, le procès est très peu médiatisé. Pendant plusieurs jours, au moment où les collecteurs d'enveloppes de Gilles Vaillancourt viennent décrire un système de ristournes très structuré et dirigé depuis le bureau du maire, un seul représentant des médias, soit l'un des auteurs de cet ouvrage, se trouve dans la salle.

Comme c'est son droit, Accurso choisit d'être jugé devant un jury de 12 personnes, plutôt que devant le juge seul. Un seul témoin, l'ingénieur Marc Gendron, implique directement Accurso dans le versement de la fameuse ristourne de 2 %, et ce dernier jure que Gendron a tout inventé.

Brillant plaideur, l'avocat d'Accurso, Me Marc Labelle, veut semer le doute dans la tête du jury sur la connaissance qu'aurait pu avoir Accurso du cartel des contrats publics, et du versement des pots-de-vin. Il base sa stratégie en positionnant son client tout en haut de la chaîne d'un véritable empire industriel et immobilier. Trop occupé à bâtir son entreprise à coup d'acquisitions, trop pris par la négociation d'ententes financières avec les banques et les compagnies d'assurances, Tony Accurso n'aurait rien vu des crimes commis sous son nez. Parce qu'il y en a eu, des crimes, et personne ne le conteste. Accurso admet d'entrée de jeu que son subalterne Joe Molluso a participé au système de ristournes. Mais Molluso lui aurait caché son petit manège pendant des années, avant de tout lui avouer après que les deux hommes eurent été arrêtés au printemps 2013.

Tony Accurso affirme aussi sous serment qu'il ne s'entend pas très bien avec Gilles Vaillancourt, et qu'il n'a jamais été dans les bonnes grâces du maire. À preuve, selon lui, le maire lui a souvent refusé des changements de zonage ou rarement donné le feu vert pour des projets d'envergure, comme la construction d'un amphithéâtre de 15 000 places pour une équipe de hockey.

La stratégie de l'accusé est brillante, mais fonctionnera-t-elle ? Coup de théâtre le vendredi 17 novembre. Alors que le procès tire à sa fin et que le procureur de la Couronne Richard Rougeau s'apprête à livrer sa plaidoirie finale, la jurée numéro 6 remet une note au juge Brunton. Elle affirme que son oncle par alliance, propriétaire du logement qu'elle habite, a eu une conversation avec elle plus tôt dans la semaine, alors qu'il venait chercher le loyer. Il lui aurait raconté avoir déjà travaillé pour Marc Gendron il y a plusieurs années, et avoir vu une mallette pleine d'argent dans le bureau de l'ingénieur. Il aurait parlé d'« un gros système » à Laval et évoqué « une mafia ».

De telles informations sont potentiellement incriminantes pour Tony Accurso, accusé d'avoir participé au stratagème. Or, dans un procès devant jury, les jurés ne doivent être exposés qu'à la preuve entendue en salle de cour. Tout élément incriminant provenant de l'extérieur pourrait potentiellement modifier leur verdict quant à la culpabilité ou non de l'accusé.

Comble du malheur, la jurée numéro 6 affirme au juge qu'elle a relaté la conversation tenue avec son oncle à deux de ses collègues, la jurée numéro 1 et la jurée numéro 7. Le juge Brunton est atterré. « Je ne vois pas comment ce procès demeure viable dans les circonstances », affirme-t-il, avant de prononcer, pour la première fois « en 15 ans de carrière », un arrêt des procédures. Il faut tout recommencer.

Dans le camp Accurso, on grince des dents. Depuis quelques jours, il se dégageait l'impression, dans la salle 1.14 du palais de justice de Laval, que le jury n'avait pas été insensible aux arguments de l'entrepreneur, et que ce dernier avait une vraie chance d'être acquitté.

Pour se consoler, Accurso aura au moins une excellente nouvelle en attendant son deuxième procès. En février 2018, il est blanchi des accusations qui pesaient contre lui dans le dossier de Mascouche, lui qui était soupçonné d'avoir fait un chèque de 300 000 $ à l'ex-maire Richard Marcotte dans l'espoir d'être favorisé pour l'octroi de contrats publics.

L'UPAC est ébranlée. Est-elle capable de présenter une preuve qui résistera à l'épreuve d'un procès ? L'unité d'enquête obtient une nouvelle chance en mai alors que s'amorce le deuxième procès Accurso à Laval. Cette fois, la Couronne ajuste sa stratégie. La liste des témoins est épurée. Mario Desrochers, de Sintra, se rappelle tout à coup d'une rencontre pour organiser la collusion des contrats publics dans la grande région de Montréal qui avait eu lieu en 2002 dans les bureaux de Louisbourg, qui se trouvaient alors à Saint-Eustache. Les entrepreneurs voulaient selon lui s'entendre entre eux sur les territoires où ils pourraient se partager les contrats truqués. Il affirme que Accurso assistait à la rencontre, qui était présidée par nul autre que Nicolo Milioto, alias « Monsieur Trottoir », le patron de la firme de construction Mivela Construction soupçonné d'avoir été un joueur majeur dans le partage des contrats publics à Montréal. Desrochers n'avait jamais fait état de cette rencontre lors du premier procès à l'automne précédent. Cet épisode amène une preuve de plus que Accurso était parfaitement au courant de la manipulation des contrats publics.

Mais surtout, la composition du jury est différente de celui du premier procès. Les 12 hommes et femmes responsables du sort d'Accurso semblent plus attentifs, plus éduqués. Ils sont moins impressionnés par les sourires en coin de l'entrepreneur lorsqu'il décrit la taille de son empire et prétend qu'il ignorait les magouilles de ses subalternes. Le 25 juin, le jury rend son verdict : coupable à chacun des chefs d'accusation.

Accurso, qui se bat contre la justice depuis cinq ans, rend les armes. Quelques jours plus tard, son avocat annonce qu'il accepte le verdict. Au moment de plaider une sentence clémente pour son client, il surprend tout le monde en affirmant que Accurso est sur le bord de la faillite. Marc Labelle se montre étonnamment loquace. « Toutes ses propriétés, tous ses avoirs sont pris en garantie par Revenu Québec [...] À ce moment-ci, M. Accurso, il lui reste sa maison », fait-il tristement valoir. L'homme d'affaires est-il réellement à plaindre ? Sa maison, tout de même, est un magnifique manoir au bord de l'eau à Deux-Montagnes qui vaut plus de 2,7 millions $ au rôle d'évaluation municipale. Aussi, il a vendu de nombreux actifs de grande valeur au cours des dernières années. Difficile de croire qu'il est vraiment sans le sou.

Tout de même, l'homme jadis à la tête d'un empire de 4500 employés dont le chiffre d'affaires annuel a atteint un milliard de dollars a définitivement perdu sa superbe. C'est le regard fermé et le dos vouté qu'il se présente en cour, le 5 juillet, pour recevoir sa sentence. Personne ne s'attend à ce qu'il s'en sorte avec une peine à purger à domicile, comme il le demande. Et c'est là qu'il paie le prix pour avoir clamé si longtemps son innocence et choisi de subir un procès plutôt que de négocier un plaidoyer de culpabilité. Le juge Brunton l'envoie au pénitencier pour quatre ans. Parmi tous les complices du système criminel de Laval, seul Gilles Vaillancourt a obtenu une peine plus lourde. « Il est permis de prétendre qu'il s'agit d'un des pires, sinon le pire exemple de corruption municipale qui s'est retrouvé devant un tribunal canadien », soutient le magistrat.

Sitôt la sentence prononcée, l'homme de 66 ans est placé dans le box vitré des accusés pour être emmené en prison. Qu'importe s'il tente par la suite d'aller en appel ; l'ère Accurso est définitivement révolue.

ÉPILOGUE

Il fait un froid de canard à la mi-décembre 2017 lorsque Gilles Vaillancourt pose ses valises à la résidence Carpe Diem, située dans un quartier industriel de Laval. Dans la maison de transition qui l'accueille à sa sortie de prison, le Monarque apprend à partager son quotidien avec des criminels bien différents des bandits en cravate qu'il a toujours côtoyés. Il se trouve au milieu de pédophiles, de membres de gangs de rue et de trafiquants de drogue.

L'aura de l'ex-maire n'est plus le même que celui d'avant son séjour d'un an en prison. Vaillancourt, qui a distribué des poignées de main au moment d'aller derrière les barreaux, se trouve désormais bien seul. Selon des informateurs qui l'ont vu dans les jours suivant sa sortie de prison, il marchait d'un pas lent, le dos courbé, hésitant à s'intégrer au groupe. Gilles Vaillancourt a pris un coup de vieux en prison, mais il peut au moins voir la lumière au bout du tunnel, c'est-à-dire sa libération complète prévue un an plus tard.

Si Gilles Vaillancourt a pu sortir de prison au sixième de sa peine, c'est qu'il s'est bien comporté lors de son incarcération au Centre fédéral de formation, un pénitencier situé dans l'est de Laval. Par contre, bien qu'il eut plaidé coupable, son côté narcissique est rapidement apparu à son arrivée en prison, constate-t-on dans un rapport de la Commission des libérations conditionnelles du Canada daté du 16 novembre 2017. « Selon vos intervenants, vous semblez minimiser et banaliser les gestes que vous avez commis [...] Il est difficile de vous faire parler de votre implication criminelle. Il appert que vous changez constamment de sujet et esquivez les questions. Vous avez tendance à vous montrer sous un jour favorable en exposant vos réussites et vos réalisations en tant que maire, ou en parlant de cas pires que le vôtre », peut-on y lire.

En cours de route, toutefois, Vaillancourt semble avoir cheminé. « Dans les réflexions écrites que vous avez fait parvenir à la Commission, vous faites état de votre parcours professionnel et vous expliquez qu'en cours de route, vous avez été aveuglé par le pouvoir, par un grand besoin de reconnaissance, par votre réussite et les succès que vous obteniez. Vous expliquez qu'après avoir passé par une phase de déni et d'atténuation, vous vous seriez rapproché de la spiritualité et de vos valeurs. Vous dites regretter au plus haut point vos gestes et vous en acceptez les conséquences », écrit la Commission des libérations conditionnelles. Le Monarque aurait même demandé pardon. « Vous dites que vous vous êtes excusé auprès de la population, auprès de votre famille et de vos amis. Vous souhaitez être pardonné par ceux que vous avez déçus et offensés. »

« Vous savez que vous avez encore des choses à améliorer et vous vous dites prêt à y consacrer des efforts soutenus. Vous voulez redevenir un actif pour la société, un citoyen qui aspire à faire du bien pour le reste de sa vie », conclut la Commission en acceptant de libérer le maire après le sixième de sa peine.

Le ton des autorités carcérales ne laisse planer aucun doute : Gilles Vaillancourt n'est plus le patron de Laval. En attendant sa « vraie » liberté, l'ex-maire devra obéir à des directives très strictes. Il peut voir sa femme et les proches qu'il lui reste quelques heures par jour, mais est soumis à un couvre-feu. Il est également contraint d'effectuer régulièrement du bénévolat dans un organisme désigné par les services correctionnels.

En raison de la nature des crimes qu'il a commis, il ne pourra plus s'impliquer dans des activités politiques. Vaillancourt se voit aussi interdire expressément d'être responsable d'investissements ou de donner des conseils financiers, même si c'est pour aider un proche ou un organisme de charité. « Il est nécessaire de s'assurer que vos revenus demeurent légaux. Dans le but de faciliter votre surveillance et diminuer le risque de récidive, vous devrez fournir l'information financière requise pour satisfaire votre surveillant de libération conditionnelle », lui ordonnent aussi les autorités.

Désormais fiché par un lourd casier judiciaire et surveillé jusqu'à la fin de ses jours, le roi de Laval a bel et bien perdu toute sa superbe.